DESTINO DESCONOCIDO

AGATHA CHRISTIE

Títulos publicados

DESTINO DESCONOCIDO

AGATHA CHRISTIE

EDITORIAL
MOLINO

SELECCIONES DE BIBLIOTECA ORO

Título original:
DESTINATION UNKNOWN
© 1954, 1955 by Agatha Christie Mallowan

Traducción de
C. PERAIRE DEL MOLINO

© EDITORIAL MOLINO
Apartado de Correos 25
Calabria, 166 - 08015 Barcelona

Depósito Legal: B. 24658 / 1993
ISBN: 84-272-0149-4

Impreso en España   Printed in Spain

LIMPERGRAF, S. A. — Calle del Río, 17 nave 3 — Ripollet (Barcelona)

GUÍA DEL LECTOR

*En un orden alfabético convencional relacionamos
a continuación los principales personajes que
intervienen en esta obra*

ARÍSTIDES: Potentado y filántropo griego.

BAKER (Calvin): Turista norteamericana.

BARRON: Excelente basteriólogo.

BETTERTON (T. C.): Científico desaparecido.

BETTERTON (Olivia): Esposa en segundas nupcias del
citado anteriormente.

CRAVEN (Hilaria): Joven y bella pelirroja, protagonista
de esta novela.

ERICSON (Torquil): Joven científico noruego.

GLYDR (Boris): Mayor del ejército polaco; primo de la
primera esposa de Betterton.

HETHERINGTON (Juana): Una turista inglesa en viaje
por tierras africanas.

JENNSON: Muchacha empleada en una organización científica.

JESSOP: Avispado y dinámico detective inglés.

LA ROCHE: Señorita encargada del vestuario femenino en la organización científica aludida.

LAURIER (Henri): Un turista francés.

LEBLANC: Capitán de la policía parisiense.

MURCHISON (Bianca): Esposa de,

MURCHISON (Simón): Compañero de trabajo de Betterton.

NEEDHEIM (Helga): Doctora alemana, arisca y orgullosa.

NIGEL: Esposo de Hilaria Craven, de la que está separado.

PETERS (Andy): Americano, investigador químico.

WARTON: Coronel, policía inglés.

*A Antonio, al que gusta de viajar
por el extranjero tanto como yo.*

CAPÍTULO PRIMERO

E L hombre sentado tras el escritorio corrió el pisa-
peles de cristal unos cuatro centímetros a la
derecha.

Su rostro pensativo no denotaba expresión alguna, y era muy pálido, como corresponde a quien vive la
mayor parte del día bajo la luz artificial. Este hombre,
como pueden comprender, era un hombre de interiores...
de mesas de despacho y de ficheros. El hecho que para
llegar a su oficina hubiera de atravesar varios intrincados
corredores subterráneos era en cierto modo comprensible.
Sería difícil precisar su edad. No parecía viejo... ni joven.
Su cara era fina y sin arrugas, y sus ojos reflejaban un
gran cansancio.

El otro ocupante de la estancia era mayor, moreno y
con un pequeño bigote marcial. Denotaba un tempera-
mento nervioso y enérgico, siempre alerta. Incluso ahora,
incapaz de permanecer sentado, medía la habitación a

grandes pasos, haciendo de cuando en cuando algún comentario.

—¡Informes! —dijo exaltado—. Informes, informes y más informes y ninguno bueno.

El hombre sentado tras el escritorio miró los papeles que tenía ante sí. Encima de todos ellos había una ficha oficial encabezada: «Betterton, Tomás Carlos.» Y tras el nombre seguía un signo de interrogación. El hombre del escritorio asintió pensativo y dijo:

—¿Usted ha estudiado todos esos informes sin que ninguno de ellos le haya servido de nada?

El otro se encogió de hombros.

—¿Quién puede saberlo? —preguntó.

El que estaba sentado suspiró.

—Sí —repuso—, es cierto. Nadie puede decirlo.

El más viejo prosiguió con la violencia de una ametralladora:

—Informes de Roma, de Touraine; fue visto en la Riviera, en Antwerp; le identificaron en Oslo; seguramente le vieron en Biarritz; observaron su comportamiento sospecho en Strasbourg; fue visto en la playa de Ostende con una rubia despampanante y paseando por las calles de Bruselas con un galgo. Todavía no le han visto en el zoológico dando de comer a los monos, pero me atrevo a asegurar que todo llegará.

—¿No tiene ninguna idea, Warton? Personalmente confiaba en el informe de Antwerp, pero no nos ha conducido a ninguna parte. Claro que a estas alturas... —el joven se detuvo pareciendo quedar estático por unos instantes. Al fin volvió a hablar enigmáticamente—. Sí, es probable... y no obstante... quisiera saber...

El coronel Warton sentóse bruscamente sobre el brazo de un sillón.

—Pero tenemos que averiguarlo —dijo en tono insistente—. Tenemos que llegar a la raíz de todos estos, *cómo, por qué* y *dónde*. No podemos perder a un científico al mes sin tener idea de *cómo, por qué* y *dónde* ha ido ¿Está donde suponemos... o no? Siempre lo hemos dado por hecho, pero ahora no estoy tan seguro. ¿Ha leído los últimos informes de América sobre Betterton?

El hombre sentado tras el escritorio asintió.

—Las acostumbradas tendencias izquierdistas durante el período en que todos las tuvieron. Nada permanente por lo que hemos podido averiguar. Hizo buenos trabajos antes de la guerra, aunque nada espectacular. Cuando Mannheim escapó de Alemania, Betterton fue destinado como ayudante suyo y terminó casándose con su hija. Después de la muerte de Mannheim siguió solo sus investigaciones, realizando trabajos muy brillantes. Se hizo famoso con el sorprendente descubrimiento de la fisión ZE. Desde luego fue algo revolucionario y llevó a Betterton a la cima. Parecía el principio de una carrera brillante, pero su mujer murió poco después de su matrimonio y él se afectó muchísimo. Vino a Inglaterra. Ha estado en Harwell durante los últimos dieciocho meses. Y sólo seis meses atrás volvió a casarse.

—¿Ha podido averiguar algo por ese lado? —preguntó Warton con presteza.

Su interlocutor meneó la cabeza.

—Nada. Es hija de un abogado de la localidad. Trabajaba en una agencia de seguros antes de su matrimonio. Por lo que hemos descubierto nada de aficiones políticas violentas.

—Fisión ZE —dijo el coronel Warton con disgusto—. Me apabulla el significado de estos términos. Estoy anticuado. La verdad es que ni siquiera vi nunca una molécula, pero aquí las tenemos hoy en día haciendo saltar el universo en pedazos. Bombas atómicas, energía nuclear, fisión ZE y todo eso. Y Betterton era uno de los principales investigadores. ¿Qué dicen de él en Harwell?

—Que tenía una personalidad muy agradable, y en cuanto a su trabajo, nada sobresaliente o espectacular. Sólo variaciones sobre las aplicaciones prácticas de la ZE.

Los dos hombres guardaron silencio unos instantes. Su conversación había sido casi automática. Los informes de seguridad yacían amontonados sobre el escritorio y no les habían proporcionado ninguna pista de valor.

—Desde luego que desde su llegada aquí fue muy vigilado —dijo Warton.

—Sí, y todo resultó satisfactorio.

—Dieciocho meses atrás —comentó Warton pensativo—. Acaba con ellos, ¿sabe...? Precauciones de seguridad... La sensación de estar siempre bajo un microscopio... el vivir en reclusión... Se vuelven nerviosos... extraños. Lo he visto muy a menudo. Comienzan a soñar con un mundo irreal... Libertad, hermandad, en la fusión de todos los secretos y en trabajar por el bien de la humanidad. Ése es el momento en que alguien, que pertenece más o menos a la escoria de la humanidad, ve su oportunidad y la aprovecha —se frotó la nariz—. No hay nadie tan crédulo como un científico —dijo—. Eso dicen en los medios extraños.

—No comprendo por qué.

Su interlocutor exhibió una sonrisa de cansancio.

—¡Oh, sí! —repuso—. Comprenda, ellos creen que *saben*. Eso siempre es peligroso. Ahora bien, los nuestros son distintos. Somos hombres humildes. No esperamos salvar al mundo, sólo coger un par de piezas rotas, o cambiar alguna tuerca que impide trabajar —tamborileó con los dedos sobre la mesa—. Si supiera un poco más de Betterton —exclamó—. No acerca de su vida y actividades, sino de las trivialidades cotidianas, que son las más reveladoras. Los chistes que le hacían gracia. Lo que le molestaba. Quiénes eran las personas que admiraba y cuáles las que le ponían furioso.

Warton le miraba con curiosidad.

—Y qué hay de su esposa..., ¿ha intentado hablar con ella?

—Varias veces.

—¿Y no puede ayudarle?

El otro se encogió de hombros.

—Por ahora no me ha ayudado.

—¿Usted cree que sabe algo?

—Desde luego que ella no admite que sepa nada. Muestra todas las reacciones establecidas: precaución, pena, ansiedad, desesperación; no tuvo la menor sospecha de antemano; la vida de su esposo perfectamente normal, sin la menor violencia, fuese de la clase que fuera... y todo eso. Su opinión personal es que ha sido secuestrado.

—¿Y usted no lo cree?

—No puedo —dijo el hombre sentado tras el escritorio con amargura—. Yo nunca creo a nadie.

—Bien —replicó Warton—. Supongo que hay que mantener una mentalidad amplia. ¿Qué tal es?

—Una mujer corriente... del tipo con que se tropieza cualquier día jugando al bridge.

Warton asintió.

—Eso lo hace todavía más difícil —dijo.

—Ahora está aquí. Ha venido a verme. Volveremos de nuevo sobre la misma cuestión.

—Es el único tema —repuso Warton—. A pesar de que yo no podría. No tengo paciencia. —Se puso en pie—. Bien, no le entretengo más. No hemos adelantado mucho, ¿verdad?

—Desgraciadamente, no. Puede pedir una comprobación oficial del informe de Oslo. Es un lugar adecuado.

Warton asintió con un gesto antes de salir. El otro hombre levantó el teléfono que tenía junto a su brazo y dijo:

—Ahora recibiré a la señora Betterton. Hágala pasar.

Y quedó mirando al vacío hasta que llamaron a la puerta e hicieron pasar a la señora Betterton. Era ésta una mujer alta, de unos veintisiete años. Lo más sobresaliente de su persona era una magnífica cabellera de un color cobrizo. Bajo sus esplendorosos cabellos, su rostro parecía insignificante. Tenía los ojos azul verdosos y las pestañas claras que suelen acompañar con frecuencia al cabello rojo. Observó que no iba maquillada, y fue considerando su posible significado mientras la saludaba y ella se acomodaba en una butaca cerca de su mesa. Eso le inclinó a creer que la señora Betterton sabía más de lo que había confesado saber.

Según su experiencia, una mujer que sufre un gran dolor o ansiedad no descuida su arreglo. Consciente de los estragos que una pena puede causar en su aspecto, hace todo lo posible por repararlos... y se preguntaba si la señora Betterton se abstuvo de pintarse premeditadamente para dar mejor la sensación de una esposa desconsolada. Le dijo casi sin aliento:

—¡Oh!, señor Jessop..., ¿hay alguna noticia?

El aludido meneó la cabeza y repuso amablemente:

—Siento haberla hecho venir aquí, señora Betterton. Lamento que no tengamos ninguna noticia definitiva para usted.

Olivia Betterton apresuróse a responder:

—Lo sé. Eso me decía en su carta. Pero me preguntaba si... desde entonces... ¡oh! Me alegro de haber venido. El estarme en casa pensando y pensando... es lo peor de todo. ¡Porque no *podemos* hacer nada!

El hombre llamado Jessop dijo para tranquilizarla:

—¿No le molestará, señora Betterton, si vuelvo una vez

y otra a machacar sobre lo mismo, preguntándole las mismas cosas, y volviendo a los mismos puntos? Comprenda... siempre cabe la posibilidad de que surja alguna pequeña pista. Algo que no haya pensado hasta ahora, o tal vez que no hubiera considerado que valía la pena mencionarlo.

—Sí, sí. Comprendo. Pregúntemelo todo de nuevo.

—¿La última vez que vio a su esposo fue el veintitrés de agosto?

—Sí.

—Eso fue cuando él dejó Inglaterra para dirigirse a París para asistir a un Congreso.

—Sí.

Jessop continuó a toda prisa:

—Él asistió los dos primeros días, y el tercero dejó de ir. Al parecer comunicó a uno de sus colegas que tenía intención de realizar una excursión aquel día en un *bateau mouche*.

—¿Un *bateau mouche*? ¿Qué es eso?

Jessop sonrió.

—Uno de los botecitos que navegan por el Sena. —La miró fijamente—. ¿Le parece eso poco propio de su esposo?

Ella repuso algo pensativa:

—Sí, bastante. Yo hubiera dicho que estaba muy interesado por lo qué se discutía en el Congreso.

—Posiblemente lo estaba. No obstante, el tema de aquel día no era de interés especial para él de modo que pudo muy bien tomarse un día de asueto. Pero de todos modos, ¿lo considera completamente impropio de su esposo?

Ella asintió con la cabeza.

—Aquella noche no regresó al hotel —continuó Jessop—. Por lo que hemos podido averiguar no cruzó ninguna frontera con su pasaporte. ¿Usted cree que podría haber tenido otro pasaporte, tal vez con otro nombre?

—¡Ah, no! ¿Por qué iba a tenerlo?

Jessop la observaba atentamente.

—¿Usted no vio que lo tuviera en su poder?

Ella volvió a menar la cabeza con vehemencia.

—No, y no lo creo. No lo creo ni por un momento. Ni que se marchara deliberadamente como ustedes tratan de insinuar. Algo le ha ocurrido o... o... tal vez ha perdido la memoria.

—¿Su salud era normal?

—Sí. Trabajaba mucho y algunas veces se sentía algo fatigado. Sólo eso.

—¿No le pareció preocupado o deprimido?

—¡No estaba preocupado ni deprimido por *nada*! —Con dedos temblorosos abrió su bolso para sacar un pañuelo—. Todo esto es horrible —su voz tembló—. No puedo creerlo. No se hubiera marchado sin decírmelo. Algo le ha ocurrido. Le han secuestrado o tal vez atacado. No quiero pensarlo, pero algunas veces creo que ésa debe ser la solución. Debe haber muerto...

—Vamos, señora Betterton, por favor... no hay necesidad de albergar esa suposición todavía. Si hubiera muerto, su cadáver, más pronto o más tarde, hubiera sido descubierto.

—O no. Suceden cosas espantosas. Puede que le hayan ahogado o arrojado a una cloaca. Estoy segura de que en París podría ocurrir cualquier cosa.

—Puedo asegurarle, señora Betterton, que París es una ciudad muy bien vigilada por la policía.

Ella separó el pañuelo de sus ojos y le miró con enojo.

—Sé lo que piensa, pero no es así. Tom no vendería ni revelaría ningún secreto. No es comunista. Toda su vida es un libro abierto.

—¿Cuáles eran sus ideas políticas, señora Betterton?

—Creo que en América fue demócrata. Aquí votó a los

laboristas. No le interesaba la política. Era un científico a carta cabal y muy brillante —concluyó desafiándole.

—Sí —replicó Jessop—, era un científico de primera. Eso es en realidad lo más importante en todo este asunto. Comprenda, pudieron ofrecerle considerables alicientes para abandonar este país y marcharse a cualquier otro lugar.

—No es cierto. —Volvió a mostrar su enojo—. Eso es lo que los periódicos quieren insinuar. Eso es lo que piensan todos ustedes cuando me interrogan. No es cierto. No se habría marchado sin decírmelo, sin darme alguna idea...

—¿Y no le dijo... nada?

Nuevamente le dirigió una mirada escrutadora.

—Nada. No sé dónde está. Yo creo que ha sido secuestrado, o si no, como le dije, le han matado. Pero si ha muerto debo saberlo. Debo saberlo pronto. No puedo continuar así, aguardando y haciendo cábalas. No puedo comer ni dormir. Estoy enferma de tanto pensar. ¿No puede ayudarme? ¿No pueden ayudarme *en absoluto*?

Jessop se puso en pie y dando la vuelta al escritorio murmuró:

—Lo siento muchísimo, señora Betterton, muchísimo. Permítame asegurarle que hacemos cuanto podemos para averiguar lo que le ha ocurrido a su esposo. Recibimos información a diario desde muy distintos puntos.

—¿Informes de dónde? —preguntó en el acto—. ¿Qué dicen?

—Todos tienen que ser investigados y comprobados. Pero en general todos son muy vagos.

—Debo *saberlo* —musitó de nuevo con voz ronca—. No puedo continuar así.

—¿Quiere mucho a su esposo, señora Betterton?

—Claro que le quiero. Sólo llevamos casados seis meses. Sólo seis meses.

—Sí, lo sé. Perdóneme la pregunta... ¿No hubo ninguna clase de discusión entre ustedes?

—¡Oh, no!

—¿No tuvieron ningún disgusto por causa de alguna otra mujer?

—Desde luego que no. Ya se lo he dicho. Nos casamos en el último mes de abril.

—Por favor, créame; yo no insinúo semejante cosa probable, pero hay que considerar toda posibilidad que pudiera explicar el que se hubiera marchado de esta forma. Usted dice que últimamente no estuvo preocupado, ni nervioso... en ningún sentido.

—¡No, no, *no*!

—Ya sabe, señora Betterton, que muchas personas se vuelven nerviosas cuando realizan un trabajo como el de su esposo. Viviendo bajo tantas condiciones exigentes de seguridad. En resumen —sonrió—, es casi normal estar nervioso.

Ella no le devolvió la sonrisa.

—Estaba como siempre —repitió con firmeza.

—¿Feliz con su trabajo? ¿Discutía de él con usted?

—No; era tan técnico...

—¿Y no cree que pudiera tener algún escrúpulo de conciencia por sus... digamos... posibilidades destructivas? Algunos científicos lo sienten algunas veces.

—Nunca dijo nada de eso.

—Comprenda, señora Betterton —dijo Jessop inclinándose sobre la mesa y dejando a un lado parte de su impasividad—, lo que intento es hacer un retrato mental de su esposo. Saber qué clase de hombre era. Y en cierto modo no me está usted ayudando.

—Pero, ¿qué más puedo decir o hacer? He contestado a todas sus preguntas.

—Sí. Ha contestado usted a todas mis preguntas, y la

mayoría en sentido negativo. Yo deseo algo positivo... constructivo. ¿Comprende lo que quiero decir? Se puede buscar mucho mejor a un hombre cuando se sabe qué clase de hombre es.

Ella pareció meditar unos momentos.

—Ya comprendo. Por lo menos, eso creo. Bueno, Tom era alegre y de buen carácter. E inteligente, desde luego.

Jessop sonrió.

—Esa es una lista de cualidades. Pasemos a algo más personal. ¿Leía mucho?

—Sí.

—¿Qué clase de libros?

—Oh, biografías. Obras que le recomendaban en la Sociedad de Libros, y cuando estaba cansado... historias de crímenes.

—Un lector bastante convencional, en conjunto. ¿Ninguna preferencia especial? ¿Jugaba a las cartas o al ajedrez?

—Al bridge. Solíamos jugar con el doctor Evans y su esposa una o dos veces por semana.

—¿Tenía muchos amigos?

—Ah, sí, era muy sociable.

—No me refería precisamente a eso. Quiero decir si era un hombre que... quería mucho a sus amigos.

—Jugaba al golf con un par de nuestros vecinos.

—¿Ningún compañero o amigo íntimo particular?

—No. Sabe, había estado mucho tiempo en los Estados Unidos, y nació en el Canadá. Aquí no conocía a mucha gente.

Jessop consultó sus anotaciones, hechas con un pedazo de papel.

—Tengo entendido que le visitaron tres personas de los Estados Unidos recientemente. Aquí tengo sus nombres. Por lo que hemos podido averiguar, se trata sólo de personas con las que tuvo contacto con el *exterior*, por así decir. Por eso le hemos dedicado una atención especial. Primero Walter Griffiths. Fue a verle a Harwell.

—Sí; había venido a Inglaterra y estuvo a ver a Tom.

—¿Cuál fue la reacción de su esposo?

—Tom se sorprendió al verle pero agradablemente. En los Estados Unidos eran muy buenos amigos.

—¿Cómo es ese tal Griffiths? Descríbalo a su manera.

—Pero sin duda ya sabrán todo lo referente a él.

—Sí, pero deseo saber también lo que usted opina de él.

Ella reflexionó unos instantes.

—Bien, era un hombre serio y de elevada estatura. Estuvo muy amable conmigo; parecía querer mucho a Tom y mostróse ansioso por contarle las cosas que habían ocurrido desde que Tom se vino a Inglaterra. Supongo que chismes de la localidad. A mí no me resultaban muy interesantes, puesto que no conocía a ninguna de aquellas personas. De todas formas yo iba preparando la cena mientras ellos charlaban.

—¿No surgió la cuestión política?

—Usted trata de insinuar que era comunista. —Olivia enrojeció—. Estoy segura de que no era nada de eso. Tenía un empleo en algún ministerio..., creo que en la oficina fiscal del distrito. Y de todas formas cuando Tom riendo dijo algo acerca de las persecuciones en América, replicó muy serio que aquí no las comprendíamos. Que eran *necesarias*. ¡De modo que eso demuestra que *no era* comunista!

—Por favor, señora Betterton; vamos, no se altere.

—¡Tom no era comunista! No dejo de decírselo y usted no me cree.

—Sí, la creo, pero es un punto sobre el que hay que insistir. Ahora pasemos al segundo contacto del extranjero; el doctor Mark Lucas. Tropezaron con él en Londres, en el Dorset.

—Sí. Habíamos ido a una revista y luego cenamos en el Dorset. De pronto, ese hombre, Luke o Lucas, se acercó a saludar a Tom. Era químico investigador o algo por el estilo, y la última vez que vio a Tom fue en los Estados Unidos. Era un refugiado alemán que había adoptado la nacionalidad americana. Pero sin duda usted...

—Pero, ¿sin duda ya lo sé? Sí, señora Betterton. ¿Se sorprendió su esposo al verle?

—Sí, mucho.

—¿Agradablemente?

—Sí..., sí..., creo que sí.

—Pero ¿no está segura? —le presionó.

—Bueno, era un hombre que no le inspiraba gran simpatía, o por lo menos eso me dijo después, eso es todo.

—¿Fue puramente un encuentro casual? ¿No quedaron en verse otra vez?

—No; fue sólo un encuentro casual.

—Ya. El tercer contacto con el extranjero fue una mujer.:. La señora Carol Speeder, también de los Estados Unidos. ¿Cómo ocurrió?

—Creo que ella tenía algo que ver con la O.N.U. Había conocido a Tom en América y le telefoneó desde Londres para decirle que estaba aquí y preguntarle si podríamos ir a comer con ella algún día.

—¿Y fueron?

—No.

—*Usted* no, pero su esposo sí fue.

—¡Qué! —se sobresaltó.

—¿No se lo dijo?

—No.

Olivia Betterton parecía asustada e inquieta. El hombre que la interrogaba sintióse compadecido, pero no se ablandó. Por primera vez le pareció que había encontrado una pista.

—No lo comprendo —dijo ella en tono inseguro—. Me parece muy raro que no me hubiera dicho nada de esto.

—Comieron juntos en el Dorset, donde se hospedaba la señora Speeder el miércoles, 12 de agosto.

—¿El 12 de agosto?

—Sí.

—Sí, estuvo en Londres por estas fechas... Nunca me dijo nada... volvió a interrumpirse y luego lanzó una pregunta—: ¿Qué tal es esa mujer?

Él apresuróse a responder para tranquilizarla:

—No es nada atractiva, señora Betterton. Una mujer de carrera de unos treinta y tantos años, muy competente, pero no bonita. No existe la menor indicación de que tuviera trato íntimo con su esposo. Por eso resulta extraño que él no le dijera nada de su encuentro.

—Sí, sí. Lo comprendo.

—Ahora recapacite con toda atención, señora Betterton. ¿Observó algún cambio en su esposo por esa época? Digamos a mediados de agosto. Eso debió ser una semana antes del Congreso.

—No..., no..., nada. No había nada que observar.

Jessop suspiró.

Sonó el timbre del teléfono y alzó el auricular.

—Sí —dijo.

La voz al otro extremo del hilo anunció:

—Aquí hay un hombre que quiere ver a alguien que tenga autoridad para hablarle del caso Betterton, señor.

—¿Cuál es su nombre?

La voz carraspeó discretamente.

—Bueno, no estoy muy seguro de cómo se pronuncia, señor Jessop. Tal vez mejor que lo deletree.

—De acuerdo. Hágalo.

Fue anotando las letras a medida que las iba recibiendo.

—¿Polaco? —preguntó al cabo.

—No lo ha dicho, señor. Habla perfectamente el inglés, pero con acento extranjero.

—Dígale que espere.

—Muy bien, señor.

Jessop volvió a dejar el teléfono sobre la horquilla. Luego dirigió su mirada a Olivia Betterton, que continuaba sentada en actitud expectante. Rasgó la hoja de papel en la que acababa de escribir el nombre y se la tendió.

—¿Conoce este nombre? —le preguntó.

Sus ojos se abrieron desmesuradamente al verlo. Por un momento le pareció asustada.

—Sí —replicó—. Sí, le reconozco. Me escribió.

—¿Cuándo?

—Ayer. Es un primo de la primera esposa de Tom. Acaba de llegar a este país. Estaba muy preocupado por la desaparición de Tom. Me escribió preguntándome si tenía alguna noticia... y para ofrecerme su más profunda simpatía.

—¿Nunca había oído hablar de él antes de ahora?

Ella meneó la cabeza.

—¿Ni siquiera su esposo le habló de él?

—No.

—De modo que en realidad podría no ser primo de su esposo.

—Pues sí, supongo que sí. No se me había ocurrido pensarlo. —Pareció sobresaltarse—. Pero la primera esposa de Tom era extranjera. Era hija del profesor Mannheim. Este hombre da la impresión en su carta de conocer muy bien todo lo referente a ella y a Tom. Es una misiva correcta y formal... y extranjera... ¿sabe? Parece auténtica. Y de todas formas, ¿cuál sería su intención... quiero decir si fuera falsa?

—Ah, eso es lo que uno se pregunta siempre. —Jessop sonrió vagamente—. ¡Aquí hacemos tantas cosas cuando empezamos a ver la más pequeña cosa fuera de lugar!

—Sí, creo que debe ser así. —Se estremeció—. Es igual que este despacho suyo... en el centro de un laberinto de corredores, que aparece como un sueño cuando uno piensa que ya no podrá volver a salir nunca jamás...

—Sí, sí; comprendo que pueda producir ligera claustrofobia —repuso Jessop complacido.

Olivia Betterton se apartó los cabellos de la frente.

—No podré soportarlo mucho tiempo —le dijo—. Eso de permanecer hora tras hora esperando... Quisiera marcharme a alguna parte para cambiar de ambiente. Al extranjero, por ejemplo. A algún sitio donde no me telefoneasen constantemente los periodistas, ni me mire la gente. Siempre encuentro a personas conocidas y no dejan de preguntarme si tengo alguna noticia. —Hizo una pausa antes de continuar—. Creo..., creo que voy a volverme loca. He intentado ser fuerte, pero es demasiado para mí. Mi médico está de acuerdo conmigo. Dice que debiera marcharme unas tres o cuatro semanas fuera. Me ha escrito una carta. Voy a enseñársela.

Revolvió en un bolso hasta dar con un sobre que le tendió a Jessop por encima de la mesa.

—Ahí verá lo que dice.

Jessop tomó la carta y la leyó.

—Sí —le dijo—. Sí, ya veo.

Volvió a introducir la carta en el sobre.

—¿Así que... podría marcharme? —Sus ojos le observaron inquietos.

—Naturalmente, señora Betterton —replicó alzando las cejas sorprendido—. ¿Por qué no?

—Pensé que tal vez usted tendría algo que objetar.

—Objetar..., ¿por qué? Eso es cosa exclusivamente suya.

¿Puede arreglarlo de modo que me sea posible comunicar con usted mientras está ausente en caso de que tuviésemos alguna noticia?

—¡Oh, desde luego!

—¿Dónde ha pensado marcharse?

—A algún lugar donde haya mucho sol y pocos ingleses. A España o Marruecos.

—Hermosos lugares. Estoy seguro de que ha de sentarle muy bien.

—¡Oh, gracias! Muchísimas gracias por su buen deseo.

Se puso en pie, excitada y gozosa... aunque sin abandonar su nerviosismo.

Jessop también se levantó para estrecharle la mano y llamó para que la acompañaran hasta la puerta. Luego volvió a ocupar su puesto. Por unos momentos su rostro permaneció tan inexpresivo como antes; luego sus labios se entreabrieron con una sonrisa y cogió el teléfono.

—Ahora recibiré al mayor Glydr —dijo.

CAPÍTULO II

MAYOR Glydr? —Jessop vaciló al pronunciar aquel nombre.

—Sí, es difícil. —El visitante habló en un tono humorístico—. Mis compatriotas durante la guerra me llamaban Glider. Y ahora, en los Estados Unidos, cambiaré mi nombre por el de Clyn, que resulta más fácil para todos.

—¿Viene ahora de los Estados Unidos?

—Sí, llegué hará cosa de una semana. ¿Es usted... perdóneme... el señor Jessop?

—Sí.

El otro le miró con interés.

—Vaya —dijo—. He oído hablar bastante de usted.

—¿De veras ¿A quién?

El hombre sonrió.

—Tal vez vamos demasiado aprisa. Antes de que usted me permita hacerle algunas preguntas, quiero presentarle esta carta de la Embajada de los Estados Unidos.

Se la entregó con una reverencia. Jessop la tomó, y una vez leídas las palabras de presentación dirigió una mirada apreciativa a su visitante. Un hombre de elevada estatura y muy erguido... de unos treinta años poco más o menos. Sus cabellos rubios estaban cortados a la moda continental. Su modo de hablar era lento y con un marcado acento extranjero, aunque gramaticalmente correcto. Jessop observó que no estaba nervioso; cosa muy corriente la mayoría de personas que pisaban la oficina estaban nerviosas, excitadas o recelosas. Unas veces se mostraban inquietas y otras vehementes.

Aquél era un hombre completamente dueño de sí; un hombre con el rostro de jugador de póquer, que sabía lo que hacía y por qué; y a quien no resultaría fácil engañar para que dijera más de lo que tenía pensado. Jessop le dijo complacido:

—¿Y en qué podemos servirle?

—He venido a preguntarle si tienen alguna noticia de Tomás Betterton, que desapareció recientemente y al parecer de un modo sensacional. Ya sé que uno no debe dar pleno crédito a lo que lee en la Prensa y por eso le pido me indique dónde puedo obtener información digna de confianza. Ellos me dijeron que... *usted* me la daría.

—Siento no tener ninguna noticia concreta de Betterton.

—Pensé que tal vez pudo haber sido enviado al extranjero con alguna misión. —Hizo un pausa y agregó de un modo singular—: Ya sabe, alguna misión secreta.

—Mi querido amigo, Betterton era un científico, no un diplomático ni agente secreto.

—Lo siento. Pero las etiquetas no dicen siempre lo que en realidad contiene la botella. Tomás Betterton y yo éramos primos políticos.

—Sí. Creo que usted es sobrino del difunto profesor Manheim.

—Ah, ya lo sabía usted. Están muy bien informados.

—La gente viene por aquí y nos cuenta cosas —murmuró Jessop—. Estuvo aquí la esposa de Betterton y me lo dijo. Usted le escribió.

—Sí, para expresarle mi condolencia y preguntarle si tenía noticias.

—Fue muy atento.

—Mi madre .era la única hermana del profesor Manheim y se querían mucho. Cuando era pequeño estaba casi siempre en casa de mi tío en Warsaw, y su hija Elsa fue para mí como una hermana. Cuando mis padres murieron fui a vivir con mi tío y mi prima. Fueron unos días muy felices. Luego vino la guerra, las tragedias, los horrores... De los que es mejor no hablar. Mi tío y mi prima se fueron a América. Yo permanecí en la Resistencia subterránea, y cuando terminó la guerra tuve ciertas asignaciones. Una vez fui a América a ver a mi tío y a mi prima, eso fue todo. Pero llegó el momento en que mi cometido en Europa terminó. Tenía intención de residir permanentemente en Estados Unidos. Esperaba estar cerca de mi tío, mi prima y su esposo... Pero, cielos —extendió las manos—. Llego allí y me encuentro con que mi tío ha muerto, mi prima también, y su esposo ha venido a este país y se ha vuelto a casar. De modo que otra vez estoy sin familia. Y luego leo en los periódicos la noticia de la desaparición del conocido científico Tomás Betterton y me vengo para ver lo que puede hacerse. —Hizo una pausa y miró interrogadoramente a Jessop.

Éste le dirigió una mirada inexpresiva.

—¿Por qué ha desaparecido, señor Jessop?

—Eso es lo que me gustaría saber —replicó el aludido—. ¿Tal vez usted lo sabe?

Jessop observó con cierto interés qué fácilmente podían cambiarse los papeles. En aquella habitación estaba acostumbrado a interrogar a la gente, y ahora aquel extraño era el inquisidor.

Todavía sonriendo complacido, Jessop respondió:

—Le aseguro que no lo sabemos.

—¿Pero lo sospechan?

—Es posible —repuso Jessop con precaución— que este casi siga ciertos derroteros... Anteriormente han ocurrido cosas parecidas.

—Ya. —Rápidamente el visitante citó media docena de casos—. Y todos científicos —dijo con intención.

—Sí.

—¿Han ido todos tras el Telón de Acero?

—Es una posibilidad, pero no lo sabemos.

—¿Pero se fueron por su propia voluntad?

—Incluso eso es difícil de decir —contestó Jessop.

—Usted cree que no es asunto mío.

—¡Oh, por favor!

—Me perdonará si no comprendo del todo su interés. Al fin y al cabo, Betterton sólo es pariente suyo por su matrimonio. Ni siquiera le conocía.

—Eso es cierto. Pero para nosotros, los polacos, la familia es muy importante. Hay ciertas obligaciones —se puso en pie e inclinó su gallarda figura—. Lamento haber abusado de su tiempo, y le doy las más expresivas gracias por su amabilidad.

Jessop levantóse a su vez.

—Siento no poder ayudarle —le dijo—, pero le aseguro que estamos en la oscuridad más completa. Si llego a saber algo, ¿dónde puedo encontrarle?

—En la Embajada de los Estados Unidos se encargarán de encontrarme. Gracias. —De nuevo volvió a inclinarse cortésmente.

Jessop vio salir al mayor Glydr y cogió el teléfono.

—Dígale al coronel Warton que venga a mi despacho.

Cuando Warton entró en la habitación Jessop le dijo:

—Esto empieza a moverse... al fin.

—¿Cómo?

—La señora Betterton quiere marchar al extranjero.

Warton lanzó un silbido.

—¿Va a reunirse con su marido?

—Tengo esperanzas. Ha venido provista de una carta de su médico: que necesita completo descanso y cambio de aires.

—¡Me parece espléndido!

—A pesar de que, desde luego, puede ser cierto —le advirtió Jessop—. Una simple exposición de los hechos.

—Aquí nunca consideramos ese punto de vista —replicó Warton.

—No. Debo confesar que realiza su papel de un modo convincente. No se descuida ni un momento.

—No habrá conseguido nada nuevo en su última entrevista, supongo.

—Una pista ligera. La señora Speeder, con quien Betterton comió en «Dorset».

—¿Sí?

—No le dijo nada a su esposa.

—¡Oh! —Warton reflexionó—. ¿Usted lo considera un dato revelador?

—Pudiera ser. Carol Speeder había estado antes en el Comité de Investigaciones de Actividades Antiamericanas. Luego lo dejó... pero de todas maneras... sí, de todas maneras estuvo, o pensaron que estaba, metida en ello. *Puede ser* un contacto; el único que hemos descubierto en Betterton hasta ahora.

—¿Y qué hay de los contactos de la señora Betterton...? ¿No ha tenido alguno últimamente que le haya instigado a marchar al extranjero?

—Ninguno personal. Ayer recibió una carta de un polaco. Un primo de la primera esposa de Betterton. Ha venido aquí sólo para preguntarme detalles, etc...

—¿Qué tal es?

—Poco real —repuso Jessop—. Muy extranjero y correcto, tiene «don de gentes», pero su personalidad es poco natural.

—¿Cree que es el contacto para sacarla de aquí?

—Podría ser. No lo sé. Me intriga.

—¿Piensa tomarle en cuenta?

Jessop sonrió.

—Sí —presionó el timbre del teléfono con insistencia varias veces.

—Vieja araña... siempre con sus trucos... —Warton volvió a hablar en serio—. Bueno, ¿y cuál es el plan?

—Lo de costumbre: España o Marruecos.

—¿Suiza, no?

—Esta vez, no.

—Yo hubiera pensado que España o Marruecos les resultaban más difíciles.

—No debemos menospreciar a nuestros adversarios.

—Los dos únicos países en los que Betterton *no ha sido visto* —dijo con una mueca—. Bueno, seguiremos adelante. Dios mío, si fracasamos esta vez...

Jessop reclinóse en su butaca.

—Hace mucho tiempo que no me tomo unas vacaciones —comentó—. Estoy bastante harto de este despacho. *Debo* hacer un viajecito al extranjero...

Capítulo III

I

VUELO a París 108. *Air France*. Por aquí, hagan el favor.

Las personas que aguardaban en la sala de espera del aeropuerto de Heathrow se pusieron en pie. Hilaria Craven cogió el maletín de piel de lagarto para dirigirse con los otros viajeros al exterior. El aire le pareció frío después del calor de la sala de espera.

Hilaria, estremeciéndose, acercó más las pieles a su rostro y siguió a los otros pasajeros hasta donde aguardaba el avión. ¡Al fin! ¡Se marchaba... huía! Lejos de la tristeza, la soledad y los sufrimientos. Escapaba hacia la luz del sol, el cielo azul y una nueva vida... Dejaría todo aquel lastre detrás... aquel terrible lastre de sufrimientos y desilusiones. Subió la escalerilla del avión, tuvo que inclinar la cabeza para penetrar en su interior y la azafata le indicó su asiento. Por primera vez en muchos meses sentía aliviar su dolor interno, que de tan intenso casi le parecía físico.

—Tengo que marcharme —dijo para sus adentros con esperanza—. *Y me marcharé.*

El estruendo de la hélice la excitó. Parecía tener algo

de salvaje. La miseria de la civilización es lo peor —pensó—. Gris y sin esperanza. Pero ahora me escabulliré.

El aparato comentó a avanzar por la pista. La azafata dijo:

—Pónganse los cinturones, hagan el favor.

El avión viró y se detuvo aguardando la señal de partida. Hilaria pensó:

«Tal vez el avión se estrelle... Quizá no llegue a despegar... Entonces sería el fin, la solución de todo.»

«Nunca conseguiré escapar... nunca. Me retendrán aquí como una prisionera...»

Le pareció que llevaba varias horas esperando la señal de partir con rumbo hacia la libertad, y pensó:

«¡Ah, por fin!»

El avión comenzó a avanzar. De prisa, más de prisa, a toda velocidad. Hilaria pensó:

«No se levantará. No podrá... esto es el fin.»

Ah, al parecer ya estaba en el aire. No es que notara que el avión tomara altura, sino más bien que la tierra se iba alejando, hundiéndose, dejando sus problemas, contrariedades y desilusiones debajo de la criatura que tan orgullosamente se elevaba entre las nubes. Y continuaron subiendo, trazando círculos sobre el aeródromo, que ahora parecía un juguete. Diminutas carreteras y curiosos ferrocarriles... Un ridículo mundo infantil donde la gente amaba, odiaba y destrozaba sus corazones. Ninguno de sus habitantes tenía importancia ahora..., eran tan pequeños, absurdos e insignificantes. Luego las nubes formaron una masa de un gris blanquecino y le impidieron ver nada. Debían estar volando sobre el Canal. Hilaria reclinóse en el asiento y cerró los ojos. Escapar. Escapar. Había abandonado Inglaterra, Nigel y la tumba de Brenda. Abrió los ojos para volver a cerrarlos con un profundo suspiro. Se durmió...

II

Cuando despertó, el avión iba perdiendo altura.

«París», pensó Hilaria mientras se sentaba y recogía su bolso de mano. Pero no era París. La azafata recorrió el pasillo diciendo en tono alegre y como si se dirigiera a una clase de párvulos:

—Vamos a aterrizar en Beauvais porque la niebla es muy espesa en París.

Su tono parecía decir:

—¿No os parece divertido, niños?

Hilaria miró por la ventanilla. Apenas podía distinguir nada. Beauvais también aparecía cubierto de niebla. El avión iba descendiendo en círculos. Tardó bastante tiempo en tomar tierra. Luego los pasajeros fueron conducidos a través del frío y la humedad hasta un edificio rústico de madera, donde había algunas sillas y un gran mostrador.

Hilaria sentíase deprimida, pero trató de luchar contra esta sensación. Un hombre que estaba próximo a ella murmuró:

—Un antiguo aeródromo de guerra. Aquí no hay calefacción ni comodidades. No obstante, siendo francés nos servirán algunas bebidas.

Casi inmediatamente apareció un hombre con varias llaves y no tardaron en servirles distintos refrescos alcohólicos para mantener su moral, y que les ayudaron a entretener la larga e irritante espera.

Transcurrieron varias horas. Otros aviones aparecieron entre la niebla y aterrizaron, desviándose de su destino, París, y la reducida sala no tardó en quedar repleta de gente irritada que protestaba por la demora y el frío.

A Hilaria todo aquello le parecía irreal. Era como si

estuviera soñando y su sueño la protegiera de la realidad. Aquello era sólo un retraso... Cuestión de esperar. Seguía su viaje... su viaje hacia la libertad. Continuaba escapando de todo... Se animó y así se mantuvo durante la larga y fatigosa espera y los momentos de confusión cuando se anunció, mucho después de oscurecer, que habían llegado los autobuses que habían de conducirles a París.

Hubo un gran revuelo... idas y venidas, pasajeros, pilotos, mozos que llevaban los equipajes a toda prisa y a través de la oscuridad... Al fin, Hilaria encontróse con los pies y las piernas heladas, en un autobús que se dirigía a París.

Fue un largo y penoso recorrido de cuatro horas. Era medianoche cuando llegaron a los Inválidos e Hilaria sintióse agradecida al poder recoger su equipaje y dirigirse al hotel donde le habían reservado habitación. Estaba demasiado cansada para comer... de modo que tomó un baño caliente y se acostó.

El avión para Casablanca debía salir del aeropuerto de Orly a las diez y media de la mañana siguiente, pero cuando llegaron a Orly todo andaba revuelto. Varios aviones habían aterrizado en distintas partes de Europa y las llegadas habían sufrido considerable retraso, lo mismo que las salidas.

Un empleado muy nervioso, que estaba en el departamento de salidas, encogiéndose de hombros, le dijo:

—¡Es imposible que la señora salga en el avión para el que había reservado billete! Han tenido que cambiarse todas las listas. Si la señora quiere sentarse unos momentos es posible que todo se arregle.

Al fin la llamaron para comunicarle que había una plaza en el avión que se dirigía a Dakar y que normalmente no se detenía en Casablanca, pero que lo haría en esta ocasión.

—Llegarán tres horas más tarde, eso es todo, señora, si toma este avión.

Hilaria se avino sin la menor protesta y el empleado pareció sorprendido y desde luego encantado por su pacífica actitud.

—Madame no tiene idea de las dificultades que me han puesto esta mañana —le dijo—. *Enfin*, los caballeros que viajan son muy poco razonables. ¡No fui yo quien puso la niebla! Naturalmente que eso ha alterado los servicios. Pero uno debe afrontar las contrariedades de buen talante, que es lo que yo digo... por desagradable que resulte tener que alterar los propios planes. *Après tout*, madame, ¿qué importa un pequeño retraso de una, o dos, o tres horas? No tiene importancia en qué avión se llega a Casablanca.

No obstante, en aquel preciso día importaba mucho más de lo que supuso el francés cuando pronunció aquellas palabras. Porque cuando Hilaria llegó por fin, el mozo que caminaba junto a ella empujando el carretón de los equipajes comentó:

—Ha tenido mucha suerte de no haber tomado el avión anterior a éste que hace el servicio regular a Casablanca, madame.

Hilaria le preguntó:

—Vaya, ¿qué ha ocurrido?

El hombre miró inquieto a su alrededor; pero al fin y al cabo la noticia no podía quedar en secreto, y bajando la voz confidencialmente inclinóse hacia ella.

—*Mauvaise affaire!* —musitó—. Se estrelló... al aterrizar. El piloto y su ayudante se mataron, así como la mayoría de pasajeros. Cuatro o cinco quedaron con vida y han sido llevados al hospital. Algunos están muy graves.

La primera reacción de Hilaria fue una especie de furor ciego, y mentalmente se hizo estas preguntas:

—¿Por qué no estaba yo en ese avión? De haberlo tomado, ahora todo habría terminado..., habría muerto para todo. No más quebraderos de cabeza; ni más sufrimientos. Las personas que volaron en él querrían vivir y a mí... ya no me importa. ¿Por qué no me habrá tocado a mí?

Pasó la Aduana, mero trámite superficial, y dirigióse al hotel. Era una tarde radiante, y el sol comenzaba a ponerse. El aire diáfano y la luz dorada... eran tal como los había imaginado. ¡Al fin había llegado! Había abandonado la niebla, el frío y la oscuridad de Londres; dejando atrás sus penas, indecisiones y sufrimientos. Allí sentía palpitar la vida, el calor y la luz del sol.

Atravesó su dormitorio y abrió las ventanas de par en par para contemplar la calle. Sí, era todo tal como lo imaginara Hilaria, apartándose de la ventana, fue a sentarse sobre la cama. ¡Escapar, escapar! Ésa era la idea que no se apartó de su mente desde que dejara Inglaterra. Escapar. Escapar. Y ahora comprendía... con una frialdad terrible y aplastante... *que no existía escape posible*.

Todo era exactamente igual allí que en Londres. Hilaria Craven era la misma, y era de Hilaria Craven de quien quería escapar, e Hilaria Craven era la misma en Marruecos que en Londres. Dijo en tono bajo, como para sí:

—Qué tonta he sido... qué tonta soy. ¿Cómo creí que sentiría de otro modo si me iba de Inglaterra?

La tumba de Brenda, aquel patético montoncito de tierra estaba en Inglaterra y Nigel no tardaría en casarse en Inglaterra con su nueva novia. ¿Por qué imaginó que esas dos cosas le importarían menos aquí? Imaginaciones tontas. Bueno, ahora ya había llegado y debía enfrentarse con la realidad. La realidad que no podría soportar, y que no soportaría. Hay cosas que se soportan mientras existe una *razón* para sufrirlas. Ella soportó su larga enfermedad, el abandono de Nigel y las circunstancias crueles y brutales en las que ocurrió. Había soportado todas aquellas cosas porque existía Brenda... Luego vino la lucha larga, lenta, por la vida de Brenda... y la derrota final... Ahora ya no le quedaba nada por qué vivir. Y aquel viaje hasta Marruecos se lo había demostrado. En Londres sintió la extraña sensación de que si se marchaba a otro sitio podría olvidar el pasado y comenzar de nuevo. Y por eso emprendió el viaje hasta aquel lugar nuevo para ella y que poseía las cualidades que tanto le agradaban: mucho sol, aire puro y otras gentes y costumbres sin la menor relación con su pasado. Aquí pensó que las cosas serían distintas, y eran las mismas. Los hechos eran sencillos e innegables. Ella, Hilaria Craven, no sentía el menor deseo de seguir viviendo. Era así.

Si la niebla no hubiera desviado su camino; de haber tomado el avión en el que había reservado plaza, ahora su problema estaría ya resuelto. Podría encontrarse en cualquier depósito francés de cadáveres: un cuerpo destrozado con el alma en paz, libre de sufrimientos. Bueno. Podía llegar al mismo fin, pero de un modo bien distinto.

Le hubiera resultado muy sencillo de haber llevado consigo tabletas para dormir. Recordó la respuesta del doctor Crey y la extraña expresión de su rostro cuando se las pidió:

—Es mejor que no tome nada. Debe aprender a dormir naturalmente. Puede que al principio le cueste, pero ya se acostumbrará.

¡Qué extraña expresión la de su rostro! ¿Habría sabido o sospechado que llegaría a aquel extremo? Se puso en pie con decisión. Debía salir en seguida para ir de compras a una farmacia.

III

Hilaria siempre había imaginado que era fácil adquirir
drogas en las ciudades extranjeras. Y con sorpresa pudo
comprobar que no era así. El farmacéutico al que acudió
en primer lugar, sólo le vendió dos dosis. Para más cantidad, le dijo, debía presentarle una receta médica. Ella le
dio las gracias sonriente y con indiferencia, saliendo bastante aprisa de la farmacia, y al hacerlo tropezó con un
joven alto y de rostro serio que le pidió perdón en inglés.
Le oyó pedir pasta dentífrica mientras ella salía.

En cierto modo le hizo gracia. Pasta dentífrica. Le pareció tan ridículo... tan normal... tan cotidiano. Luego sintió una punzada aguda, puesto que la marca que había pe-
dido era la preferida de Nigel. Cruzó la calle y entró en
otro establecimiento. Cuando regresó al hotel había recorrido cuatro farmacias. Y le divirtió que en la tercera vol-
viese a aparecer el joven de cara de búho preguntando
nuevamente por la misma marca de dentífrico, que sin
duda no era muy corriente en las farmacias francesas de
Casablanca.

Hilaria sintióse casi optimista mientras se cambiaba el
vestido y se maquillaba para bajar a cenar. A propósito
bajó lo más tarde posible, puesto que no deseaba encontrar a ninguno de sus compañeros de viaje o al *personnel*
del avión, lo cual no era probable, puesto que de todos
modos el avión había continuado hasta Dakar y ella fue
la única que se apeó en Casablanca.

El restaurante estaba casi vacío cuando ella bajó, aunque pudo observar que el joven inglés de ojos de búho
estaba terminando de cenar en una mesa cerca de la pared. Leía un periódico francés y parecía muy absorto.

Hilaria pidió una buena cena y media botella de champaña. Sentíase excitada y pensó:

«¿Y qué es esto al fin y al cabo, sino mi última aventura?»

Luego ordenó que le subieran a su habitación una botella de agua de Vichy y en seguida que concluyó de cenar se retiró.

El camarero le trajo el Vichy, destapó la botella, y tras dejarla sobre la mesa y desearle buenas noches, abandonó la habitación. Hilaria exhaló un suspiro de alivio. Cuando se hubo cerrado la puerta a sus espaldas, fue a dar vuelta a la llave. Sacó del cajón del tocador los cuatro paquetitos que había conseguido en las farmacias y los desenvolvió. Puso las pastillas sobre la mesa y se sirvió un vaso de agua de Vichy. Puesto que la droga estaba preparada de forma de tabletas, sólo tenía que tragarlas con un poco de agua.

Se desnudó, se puso la bata y volvió a sentarse junto a la mesita. Su corazón latía más de prisa. Sintió algo parecido al miedo, pero su temor era más bien fascinante y no del que le hubiera tentado a abandonar su plan. Estaba bien decidida. Aquélla era su huida final... la verdadera. Dirigió su mirada al escritorio, dudando entre dejar o no una nota escrita. Decidió no hacerlo. No tenía parientes ni amigos íntimos. Ni nadie de quien despedirse. Y en cuanto Nigel, no deseaba cargarle de inútiles remordimientos en el supuesto caso de que los sintiera al recibir su nota. Era de presumir que Nigel leyera en los periódicos que una tal señora Hilaria Craven había fallecido de resultas de haber ingerido una dosis excesiva de tabletas soporíferas en la habitación de un hotel de Casablanca, y su reacción sería:

—¡Pobre Hilaria, qué mala suerte!

Y en el fondo es posible que se sintiera aliviado, porque adivinaba que pesaba algo en su conciencia, y Nigel era un hombre que deseaba sentirse tranquilo.

Nigel le parecía ya muy lejano e insignificante. No había nada más que hacer. Se tomaría las tabletas y luego a dormir... un sueño del que no habría de despertar. Ya no le quedaba, o eso pensaba, ningún sentimiento religioso. La muerte de Brenda había terminado con todo aquello. De modo que no tenía nada más que pensar. Era una vez más una viajera como lo fuera en el aeropuerto de Heathrow... una viajera que aguardaba partir con destino desconocido, sin el engorro del equipaje, ni molestas despedidas. Por primera vez en su vida era libre, completamente libre para actuar como deseaba. El pasado ya no contaba para ella. Aquel dolor punzante de sus horas de insomnio había desaparecido. Sí. Ligera, libre, sin estorbos. Dispuesta a emprender su nuevo viaje.

Extendió la mano para coger la primera tableta, y al hacerlo oyó unos discretos golpecitos en la puerta. Hilaria frunció el ceño, y su mano quedó detenida en el aire. ¿Quién sería... la doncella? No, la cama ya estaba preparada. Quizás algún requisito del pasaporte. Encogióse de hombros. No contestaría. ¿Por qué iba a preocuparse? Fuera quien fuese, ya volvería en cualquier otra ocasión.

Volvieron a llamar, esta vez algo más fuerte, pero Hilaria no se movió. No sería tan urgente, y de todas formas pronto desistirían.

Sus ojos, fijos en la puerta, se abrieron asombrados. La llave iba girando lentamente en la cerradura. Al fin cayó al suelo con un ruido metálico. Luego abrióse la puerta, dando paso a un hombre: el joven serio de rostro de búho que estaba comprando dentífrico. Hilaria le miró demasiado asombrada para poder hacer o decir nada. El joven se volvió para cerrar la puerta, recogiendo la llave del suelo la puso de nuevo en la cerradura y cerró. Luego dirigióse hacia donde ella estaba y tomó asiento al otro lado de la mesa, diciendo:

—Mi nombre es Jessop.

Ella lo consideró una observación incongruente.

La sangre se agolpó en el rostro de Hilaria, que inclinándose hacia delante dijo furiosa:

—¿Qué es lo que cree que está haciendo, puede saberse?

Él la miró muy serio y parpadeó.

—Es curioso —le dijo—. Yo he venido a preguntarle lo mismo. —Dirigió una mirada de soslayo a los preparativos de encima de la mesa.

—No sé lo que quiere decir —replicó Hilaria, tajante.

—¡Oh, sí que lo sabe!

Hilaria buscaba desesperadamente las palabras. Quería decir tantas cosas: expresar su indignación, ordenarle que saliera de la habitación... Pero, por extraño que parezca, venció su curiosidad, y la pregunta salió de sus labios con tal naturalidad que apenas se dio cuenta de que la hacía.

—Esa llave... ¿Ha girado sola en la cerradura?

—¡Oh, eso! —El joven exhibió de pronto una sonrisa infantil que transformó su rostro, e introduciendo la mano en el bolsillo, extrajo un instrumento metálico que le tendió para que lo examinara.

—Ahí tiene —le dijo—. Es una herramienta muy manejable. Introduciéndola en la cerradura hizo girar la llave que estaba al otro lado —volvió a tomarla de manos de Hilaria y la guardó—. Los ladrones la utilizan.

—¿De modo que es usted un ladrón?

—No, no, señora Craven, hágame justicia. Yo llamé, ya sabe. Los ladrones no llaman. Y luego, cuando me pareció que no iba a abrir, utilicé esto.

—Pero ¿por qué?

De nuevo los ojos del visitante se posaron en las tabletas.

—Yo de usted no lo haría —dijo—. No es lo que usted cree. Usted se figura que es sólo cuestión de acostarse y no volver a despertarse, pero no es así. Los efectos son muy desagradables. Algunas veces convulsiones, otras gangrenas de la piel. Si es resistente la droga, tarda mucho tiempo en hacer efecto, y entonces llegan a tiempo de remediarlo y le hacen multitud de cosas desagradables. Vomitivos. Aceite de ricino, café caliente. Todo muy poco atractivo, se lo aseguro.

Hilaria reclinóse en su silla con los ojos entornados e intentó sonreír.

—¡Qué ridículo es usted! —le dijo— ¿Es que imagina que iba a suicidarme o algo por el estilo?

—No sólo lo imagino —repuso el joven llamado Jessop—. Estoy completamente seguro. Ya sabe, estaba en la farmacia cuando usted entró. Por cierto comprando pasta dentífrica. Pues bien, no tenían la marca que quería, de modo que fui a otro establecimiento y allí estaba usted pidiendo más pastillas para dormir. Bueno, lo encontré un poco extraño, de modo que la seguí. Y compró todas esas tabletas en distintos sitios. Y eso sólo podía significar una cosa.

Su tono era amistoso, desenvuelto, pero convencido, y al mirarle abandonó todo fingimiento.

—Entonces, ¿no considera una impertinencia inaguantable por su parte el tratar de grado o por fuerza impedírmelo?

Él reflexionó unos instantes y al fin meneó negativamente la cabeza.

—No. Es una de esas cosas que usted no puede hacer... no sé si me comprende.

—Usted puede impedírmelo de momento. Quiero decir que puede llevarse las tabletas... tirarlas por la ventana o lo que mejor le parezca..., pero no podrá impedir que compre más otro día, o que me arroje desde el último piso o a la vía del tren.

El joven consideró este punto.

—No —le dijo—. Estoy de acuerdo con usted. No puedo impedir que haga ninguna de esas cosas. Pero eso es cuestión de que usted quiera ponerlas en práctica. Y eso lo más pronto sería mañana.

—¿Usted cree que mañana pensaré de otro modo? —preguntó Hilaria con cierta amargura en su voz.

—Es lo que suele ocurrir —replicó Jessop, casi disculpándose.

—Sí, es posible cuando se hacen las cosas en un momento de acaloramiento. Pero si es a sangre fría, es muy distinto. Comprenda que la vida no tiene ningún interés para mí.

Jessop ladeó su cabeza de búho y parpadeó.

—Es interesante —observó.

—No, en absoluto. No soy una mujer interesante. Mi esposo, a quien yo amaba, me abandonó, y mi única hija murió de meningitis. No tengo parientes ni amigos íntimos, así como tampoco ninguna vocación, ni habilidad para el arte, ni un trabajo que me atraiga.

—Es duro —dijo Jessop comprensivo, y agregó con cierta vacilación—: Entonces no considera que obra... mal...

—¿Por qué habría de estar mal? —replicó Hilaria con calor—. Es *mi vida*.

—¡Oh, sí, sí! —apresuróse a responder Jessop—. No es que yo sea un gran moralista, pero hay quien considera que está mal.

—Yo no soy de ésas —replicó Hilaria.

—Desde luego —dijo Jessop, mirándola pensativo.

—Entonces puede que ahora, señor...

—Jessop —se presentó el joven.

—En ese caso, tal vez ahora quiera dejarme sola.

Mas el intruso movió la cabeza.

—Todavía no —le dijo—. Sabe, quería saber lo que había detrás de todo esto. Y ahora ya lo sé, ¿no es cierto? Usted no siente interés por la vida, no desea seguir viviendo y le seduce la idea de morir.

—Sí.

—Bien —repuso Jessop alegremente—. De modo que hemos llegado hasta aquí. Damos un paso más. ¿Tiene que ser precisamente con tabletas para dormir?

—¿Qué quiere usted decir?

—Bueno, ya le he dicho que no son tan románticas como parecen. Y arrojarse desde lo alto de un edificio tampoco es demasiado agradable. No siempre se muere en el acto. Y lo mismo digo de dejarse aplastar por un tren. Lo que quiero decir es que existen otros medios.

—No comprendo.

—Le sugiero otro sistema. Bastante deportivo, la verdad, y además emocionante. Voy a ser sincero con usted. Existe sólo una posibilidad contra ciento de que no muera. Pero no creo que, dadas las circunstancias, le importe mucho por aquel entonces.

—No tengo la menor idea de lo que me está hablando.

—¡Claro que no! —repuso Jessop—. Todavía no he comenzado a hablarle de ello. Me temo que tendré que hacer un poco de historia primero. ¿Puedo empezar?

—Supongo que sí.

Jessop hizo caso omiso de su ironía y comenzó:

—Usted es de esa clase de mujeres que lee los periódicos y forma una idea general de las cosas, por lo menos eso espero. Y habrá leído de cuando en cuando la noticia de la desaparición de diversos científicos. Un italiano hará cosa de un año, y hace sólo dos meses un joven científico llamado Tomás Betterton.

Hilaria asintió.

—Sí, lo leí en la Prensa.

—Bien, pues hay bastante más de lo que apareció en los periódicos. Quiero decir que han desaparecido otras personas y siempre fueron científicos. Algunos de ellos jóvenes que estaban trabajando en importantes investigaciones médicas. Otros químicos, algún físico y un licenciado. Oh, de aquí, de allí y de todas partes. Pues bien, nuestro país se dice libre. Dejémoslo así si usted quiere. Pero en estas peculiares circunstancias tenemos que saber por qué se han marchado estas personas, adónde, y también es importante *cómo*. ¿Se fueron por su propia voluntad? ¿Los secuestraron? ¿Les obligaron con chantajes? ¿Qué ruta tomaron? ¿Qué clase de organización es ésta, cómo funciona y cuáles son sus últimas pretensiones? Montones de preguntas. Queremos las respuestas. Usted puede ayudarnos a encontrarlas...

Hilaria le miró estupefacta.

—¿Yo? ¿Cómo? ¿Por qué?

—Voy a referirme al caso particular de Tomás Betterton. Desapareció en París hará unos dos meses. Dejó a su esposa en Inglaterra. Estaba desolada... o lo simulaba. Juró no tener la menor idea de por qué se había ido, o dónde y cómo. Eso puede ser o no cierto. Algunas personas... y le digo que yo soy una de ellas... creen que no es verdad todo eso.

Hilaria reclinóse en su silla. A pesar suyo se iba interesando. Jessop continuó:

—Nosotros vigilamos sin descanso a la señora Betterton. Hará unos quince días vino a verme y me dijo que el doctor le había ordenado marchar al extranjero para gozar de un reposo absoluto y algunas distracciones. Eso no podía hacerlo en Londres donde la gente no cesaba de importunarla... periodistas, parientes, amigos...

—Lo imagino —dijo Hilaria secamente.

—Sí, es natural que quisiera marcharse una temporadita.

—Naturalísimo.

—Pero en nuestro Departamento tenemos una mentalidad muy recelosa y mal pensada, y no perdemos de vista a la señora Betterton. Ayer salió de Inglaterra como decimos y se vino a Casablanca.

—¿Casablanca?

—Sí... *en route* para otros lugares de Marruecos, desde luego. Todo bien a la vista... con un plan trazado y reserva con antelación. Pero es posible que este viaje de la señora Betterton a Marruecos termine llevándola a lo desconocido.

Hilaria encogióse de hombros.

—No comprendo qué tengo yo que ver con todo esto.

Jessop sonrió.

—Pues tiene que ver gracias a su espléndido cabello rojo, señora Craven.

—¿*Cabello*?

—Sí. Es el rasgo más sobresaliente de la señora Betterton... su cabellera color fuego. Quizás ha oído decir que el avión anterior al suyo se estrelló al tomar tierra.

—Sí. Yo debía haberlo tomado. Tenía reservado billete.

—Muy interesante —replicó Jesop—. Bien, la señora Betterton iba en ese avión, pero no ha muerto. Salió con vida del accidente y ahora está en el hospital, aunque según los médicos no llegará a mañana.

Una pequeña luz se hizo en el cerebro de Hilaria, que le miró interrogadoramente.

—Sí —dijo Jessop—, tal vez vea la forma de suicidio que le ofrezco. Me propongo que la señora Betterton continúe su viaje, y para ello se convierta usted en la señora Betterton.

—Pero sin duda eso es imposible. Quiero decir que ellos

en seguida se darán cuenta de que yo no soy la señora Betterton.

Jessop ladeó la cabeza.

—Eso, desde luego, depende enteramente de quiénes sean ellos. Es un término muy vago. ¿Quiénes son «ellos»? ¿Se trata de cosas, de personas? Lo ignoramos. Pero puedo decirle una cosa. Si hemos de aceptar la explicación más popular, entonces esas personas trabajan muy unidas, y encerradas en sí mismas. Lo hacen por su propia seguridad. Si el viaje de la señora Betterton tenía un propósito y había sido planeado, entonces las personas encargadas de llevarla a su destino que actúen aquí no sabrán nada de ella. En el momento convenido y en determinado sitio se pondrán en contacto con cierta mujer, y desde aquí la llevarán a otro lugar. La descripción que aparece en el pasaporte de la señora Betterton es la siguiente: Estatura, cinco pies y siete pulgadas, pelirroja, ojos azul verdoso, boca mediana, ninguna particularidad. Bien parecida.

—Pero las autoridades. Sin duda...

—Por ese lado no tiene que preocuparse. Los franceses han perdido algunos científicos y químicos muy valiosos. Cooperarán. Los hechos serán los siguiente: la señora Betterton, conmocionada, es llevada al hospital. La señora Craven, otra pasajera del avión siniestrado, ingresa en el mismo hospital. Al cabo de uno o dos días la *señora Craven morirá en el hospital* y la señora Betterton será dada de alta, todavía sufriendo algo de conmoción, pero en condiciones de continuar su viaje. La catástrofe es auténtica, la conmoción también y además le proporcionará una buena excusa para muchas cosas, como lapsus de memoria y extraño comportamiento.

—¡Sería una locura! —exclamó la joven.

—Ah, sí, estoy de acuerdo en que es una locura. Será una empresa difícil, y si nuestras sospechas son acertadas, la atraparán. Ya ve que le soy franco, pero según usted, está dispuesta a morir. Y entre arrojarse a la vía del tren o algo por el estilo, yo diría que esto le resultará mucho más divertido.

De repente, Hilaria se echó a reír.

—Creo que tiene usted razón.

—¿Lo hará?

—Sí. ¿Por qué no?

—En ese caso —dijo Jessop irguiéndose en su asiento con brío—, no hay el menor tiempo que perder.

Capítulo IV

I

No es que hiciera frío en el hospital, pero causaba esa sensación. Se olía a desinfectantes. De cuando en cuando en el corredor exterior se dejaba oír el tintineo de cristales e instrumental que eran llevados en mesitas con ruedas. Hilaria Craven se hallaba sentada en una silla metálica junto a un lecho.

En él, Olivia Betterton yacía con la cabeza vendada. La luz era escasa. Había una enfermera de pie a un lado de la cama y un médico al otro. Jessop ocupaba una silla en el rincón más alejado de la habitación. El doctor dirigióse a él hablando en francés.

—Ahora no tardará mucho —le dijo—. El pulso es mucho más débil.

—¿Y no recobrará el conocimiento?

—Eso no puedo decirlo —repuso el francés encogiéndose de hombros—. Es posible que sí al final

—¿No puede hacerse nada... algún estimulante?

El doctor movió la cabeza y salió seguido de la enfermera, que fue reemplazada por una monja que se dirigió a la cabecera de la cama, donde permaneció pasando las cuentas de su rosario. Hilaria miró a Jessop y obediente se acercó a él.

—¿Ha oído lo que ha dicho el doctor? —le preguntó en voz baja.

—Sí. ¿Qué quiere que le diga si llega a recobrar el conocimiento?

—Quiero que obtenga toda la información posible, cualquier contraseña, señales, mensajes, todo. ¿Comprende? Es más probable que le hable a usted que a mí.

Hilaria dijo con repentina emoción:

—¿Quiere usted que traicione a alguien que está muriendo?

Jessop ladeó la cabeza con un gesto parecido a los de los pájaros y que adoptaba a menudo.

—¿Es eso lo que piensa? —le dijo.

—Sí.

—Muy bien —la miró pensativo—. Entonces dígale y haga lo que le parezca. ¡Yo no puedo tener escrúpulos! ¿Lo comprende?

—Desde luego. Es su deber. Usted puede hacerle tantas preguntas como desee, pero no me pida que yo lo haga.

—Es usted un agente libre.

—Hay otra cuestión que debemos discutir. ¿Hemos de decirle que está muriendo?

—No lo sé. Tendré que pensarlo.

Ella asintió antes de volver a su puesto, junto a la cama. Ahora sentíase llena de compasión por aquella mujer que agonizaba... una mujer que se dirigía al encuentro del hombre amado. ¿O estaban todos equivocados? ¿Había venido a Marruecos simplemente en busca de paz... a pasar el tiempo hasta tener alguna noticia definitiva de si su marido estaba vivo o muerto? Hilaria hubiera querido saberlo.

Iba transcurriendo el tiempo. Casi dos horas más tarde la monja dejó su rosario y dijo con voz suave e impersonal:

—Ha experimentado un cambio. Creo que se acerca el fin, señora. Voy a buscar al doctor.

Y salió de la habitación. Jessop acercóse a la cama por el lado en que estaba la pared de modo que quedaba fuera del campo visual de la señora Betterton. Ésta abrió los ojos de un azul verdoso muy claro que se fijaron en Hilaria. Los cerró en seguida para volverlos a abrir apareciendo en ellos un ligero aire de perplejidad.

—¿Dónde...?

La palabra surgió de entre sus labios resecos en el momento en que el médico entraba en la estancia. Le tomó el pulso de pie junto a la cama y sin dejar de mirarla.

—Está en el hospital, señora —le dijo—. Su avión sufrió un accidente.

—¿El avión?

Repitió sus palabras con voz apenas perceptible.

—¿Hay alguien a quien desee ver en Casablanca? ¿Algún mensaje que quiera enviar?

Sus ojos se fijaron dolorosamente en el rostro del doctor y repuso:

—No.

Volvió a mirar a Hilaria.

—¿Quién..., quién...?

Hilaria inclinóse sobre ella y habló con suma claridad.

—Yo también vine a Inglaterra en avión... si hay algo que pueda hacer por usted... dígamelo, por favor.

—No... nada... nada... a menos...

—¿Qué?

—Nada.

Sus ojos volvieron a cerrarse, parpadearon y se entrecerraron. Hilaria alzando la cabeza tropezó con la imperiosa mirada de Jessop, mas meneó la cabeza con energía.

Jessop se adelantó colocándose junto al doctor. La moribunda abrió de nuevo los ojos, que se posaron en él.

—Le conozco —dijo.

—Sí, señora Betterton, me conoce. ¿Quiere decirme todo lo que pueda acerca de su esposo?

—No.

Los párpados cayeron sobre sus cansados ojos. Jessop, dando media vuelta abandonó la habitación. El doctor, mirando a Hilaria, dijo en un susurro:

—*C'est la fin!*

La mujer volvió a abrir los ojos, que vagaron por la estancia hasta fijarse en Hilaria. Olivia Betterton hizo un ligero gesto y la joven instintivamente tomó aquella mano blanca y fría entre las suyas. El médico, con un encogimiento de hombros, dejó la estancia. Las dos mujeres quedaron solas. Olivia Betterton intentaba hablar:

—Dígame... dígame...

Hilaria comprendió lo que le preguntaba y repentinamente supo cómo actuar. Inclinóse decidida sobre la moribunda.

—Sí —le dijo en voz clara—. Está usted agonizando. Es eso lo que quería saber, ¿no es cierto? Ahora, escúcheme. Voy a tratar de llegar hasta su esposo. ¿Quiere enviarle algún mensaje por si tengo éxito?

—Dígale... dígale... que tenga cuidado, Boris... Boris... es peligroso...

Su voz volvió a apagarse en un suspiro. Hilaria inclinóse todavía más.

—¿No puede decirme nada para ayudarme... quiero decir... para ayudarme a continuar mi viaje? Para ayudarme a ponerme en contacto con su esposo.

—*Nieve.*

La palabra intrigó a Hilaria. ¿Nieve? ¿Nieve? La repitió sin comprender. Una tonadilla ligera, fantasmal, apenas perceptible, salió de los labios de Olivia Betterton:

> ¡Caes sobre la colina y luego te vas!
> ¡Nieve, nieve, hermosa nieve!

Repitió la última palabra.

—¿Vas... vas? Vaya y dígale lo de Boris. Yo no lo creo. No quería creerlo. Pero tal vez es cierto... de ser así... de ser así...

Una mirada agonizante se fijó en los ojos de Hilaria:

—Tenga cuidado...

Un extraño estertor atenazó su garganta. Sus labios se entreabrieron.

Olivia Betterton había muerto.

II

Los cinco días siguientes fueron extenuantes para su cerebro, aunque físicamente inactivos. Confinada en una habitación del hospital. Hilaria comenzó a trabajar. Cada noche era examinada de lo que había estudiado durante el día: Todos los detalles de la vida de Olivia Betterton que ellos conocían fueron anotados en un papel y tuvo que aprenderlos de memoria. La casa en que viviera, las mujeres que fueron a limpiársela, sus parientes, el nombre de su perro y el de su canario; cada detalle de los seis meses de vida matrimonial con Tomás Betterton. Su boda, los nombres de las damas de honor, sus vestidos... Los dibujos de las cortinas, alfombras y visillos. Los gustos de Olivia Betterton, sus predilecciones y sus actividades diarias. Sus preferencias en alimentos y bebidas. Hilaria vióse obligada a maravillarse de la cantidad de informaciones, aparentemente insignificantes, que habían reunido. En cierta ocasión le dijo a Jessop:

—¿Es posible que alguna de esas cosas sea *importante*? Y él replicó sin inmutarse.

—Probablemente, no. Pero usted tiene que documentarse para representar bien su papel. Imagínese que es escritora y que está escribiendo una novela cuya protagonista es Olivia. Usted describe escenas de su niñez, de su adolescencia; luego su matrimonio, la casa en que vive... Mientras lo hace ella se va convirtiendo en un ser real para usted. Luego repite la experiencia, pero esta vez como si escribiera una autobiografía. La escribe *en primera persona*. ¿Comprende lo que quiero decir?

Hilaria asintió lentamente, impresionada a pesar suyo.

—No puede pensar como Olivia Betterton hasta que sea Olivia Betterton. Sería mucho mejor si tuviera tiempo para aprenderlo todo, *pero no lo tenemos*. De modo que tengo que apretarla... como a un estudiante que fuera a pasar un examen difícil e importante. —Y agregó—: Gracias a Dios, posee usted una inteligencia rápida y buena memoria.

Las descripciones que aparecían en los pasaportes de Olivia Betterton e Hilaria Craven eran casi idénticas, pero los dos rostros eran completamente distintos. Olivia Betterton poseía una belleza vulgar e insignificante. Su aspecto era obstinado, pero no inteligente. En cambio, el rostro de Hilaria tenía poder y una cualidad intrigante. Los profundos ojos azul verdoso, bajo sus oscuras cejas eran inteligentes y había fuego en ellos. Su boca se curvaba hacia arriba en una línea amplia y generosa. El corte de su mentón era perfecto... un escultor hubiera considerado sus facciones interesantes.

Jessop pensó mientras la contemplaba:

«Aquí hay pasión... y cerebro... y oculta un espíritu alegre y resuelto... que disfruta de la vida y busca la aventura.»

—Lo conseguirá —le dijo—. Es una discípula apta.

Aquellos elogios a su inteligencia y buena memoria estimularon a la joven. Se iba sintiendo interesada, y deseaba tener éxito en su empresa. Se le ocurrieron un par de objeciones y las comunicó a Jessop con franqueza.

—Usted dice que no se darán cuenta de que no soy Olivia Betterton. Que no saben cómo es más que a grandes rasgos. Pero, ¿cómo puedo estar segura de eso?

—No podemos estar seguros... de nada —Jessop alzó los hombros—. Pero sabemos bastante bien cómo funcionan estas cosas, y al parecer internacionalmente existe muy poca comunicación entre un país y otro. La verdad es que eso representa una gran ventaja para *ellos*. Si conseguimos descubrir un pequeño eslabón en Inglaterra, y le aseguro que siempre hay un punto débil en todas las organizaciones, ese eslabón de la cadena no nos dice nada de lo que ocurre en Francia, Italia o Alemania, o donde prefiera, y nos estrellamos contra un muro. Ellos saben su papel en el asunto y... nada más. Lo mismo ocurre en todas partes. Me atrevo a asegurar que todos los que operan aquí lo único que saben de Olivia Betterton es que llegará en tal avión y que hay que darle tales intrucciones. Comprenda, no es que *ella* tenga importancia. Si piensan conducirla hasta su esposo, es porque él quiere que se la lleven y porque ellos creen que trabajará mejor teniéndola a su lado. Ella es un mero peón en el juego. También debe recordar que la idea de sustituir a Olivia Betterton ha sido una improvisación... ocasionada por el accidente del avión y el color de sus cabellos. Nuestro plan de operación era seguir a Olivia Betterton y averiguar dónde iba, cómo y a quién encontraba. Y eso es lo que esperarán los del bando contrario.

Hilaria preguntó:

—¿Y no han intentado antes todo eso?

—Sí. Se intentó en Suiza con gran discreción. Y fue un fracaso en cuanto se refiere a nuestro principal objetivo. *Si* alguien se puso en contacto con ella allí, lo ignoramos. De modo que el contacto en todo caso debió ser muy breve. Naturalmente, ellos esperarán que alguien siga los pasos a Olivia Betterton. Estarán preparados para eso. A nosotros nos corresponde realizar el trabajo más a conciencia que la última vez. Tenemos que intentarlo y ser más astutos que nuestros propios adversarios.

—¿De modo que ustedes me seguirán?

—Desde luego.

Meneó la cabeza.

—No debí habérselo dicho. Era mucho mejor para usted no saberlo. Lo que no sepa no podrá decirlo.

—¿Usted cree que lo diré?

Jessop volvió a adquirir su expresión de búho.

—Ignoro lo buena actriz que es usted... si sabe mentir. No es fácil, comprenda. No se trata de *decir* algo que resulte indiscreto. Puede ser cualquier cosa... un repentino sobresalto... una pausa momentánea al realizar cualquier acción... Por ejemplo, al encender un cigarrillo. Reconocer un nombre o un amigo. Podría disimular rápidamente, pero un solo instante de vacilación sería suficiente.

—Ya. Eso significa estar en guardia en todo momento.

—Exacto. Entretanto, seguiremos con las lecciones. Es como volver a la escuela, ¿no le parece? Ahora que conoce bastante bien a Olivia Betterton, pasemos a otra cosa algo distinta.

Claves, réplicas, distintas peculiaridades. La lección continuó: preguntas, repeticiones, el interés por confundirla, para hacerla caer; luego esquemas hipotéticos para ver sus reacciones. Al fin, Jessop se declaró satisfecho.

—Servirá —le dijo dándole unas palmaditas en el hombro—. Es una discípula aprovechada. Y recuerde esto, aunque muchas veces le parezca que está usted sola, no será así probablemente. Digo *probablemente*, no puedo prometerle nada. Son unos diablos muy listos.

—¿Qué ocurrirá —dijo Hilaria— si llego al término de mi viaje?

—¿Qué quiere decir?

—Me refiero si al fin me veo frente a Tom Betterton.

Jessop asintió con gravedad.

—Sí —repuso—. Ése es el momento de peligro. Sólo puedo decirle que en ese momento, *si todo ha salido bien, tendrá usted protección*. Es decir, si las cosas han ido como *esperábamos*; pero como bien recordará, la base de la operación es que no hay un gran porcentaje de probabilidades de sobrevivir.

—¿No dijo usted un uno por ciento? —replicó Hilaria secamente.

—Creo que ahora podemos ampliarlo un poco. No sabía cómo era usted.

—No, supongo que no —dijo pensativa—. Supongo que para usted sólo era...

Concluyó la frase sin aguardar a que ella lo hiciera.

—...una mujer con una magnífica cabellera roja y que no tenía el menor deseo de seguir viviendo.

Ella enrojeció.

—Ese es un juicio muy duro.

—¿Es cierto o no? No acostumbro a sentir compasión por los demás. En primer lugar es insultante. Sólo se siente compasión por las personas que se compadecen de sí mismas.

—Tal vez tenga razón —dijo Hilaria, pensativa—. ¿Se permitirá sentirse compadecido de mí cuando me hayan liquidado o como se diga, en el cumplimiento de esta misión.

—¿Compadecerla? No. Maldeciré una y otra vez por haber perdido a alguien por quien vale la pena preocuparse un poco.

—Vaya, al fin un cumplido. —A pesar suyo sentíase complacida, y continuó en tono práctico—: Se me ocurre otra cosa. Usted dice que es probable que nadie sepa cómo es Olivia Betterton, pero ¿y si me reconoce alguien? Yo no conozco a nadie en Casablanca, pero hay personas que viajaron conmigo en el avión. O tal vez puedo tropezar con algún conocido entre los turistas que vienen aquí.

—No necesita preocuparse por los pasajeros del avión. Las personas que salieron de París con usted eran hombres de negocios que continuaron hasta Dakar, y el único que se apeó aquí ha regresado ya a París. Irá usted a otro hotel cuando salga de aquí... al hotel en que la señora Betterton hizo reservar habitaciones. Llevará sus ropas y su peinado y algunas tiras de esparadrapo en las sienes le darán un aspecto muy distinto. Por cierto, va a venir un doctor para prepararla. No le hará daño. Con anestesia local, pero es necesario que tenga algunas señales auténticas del accidente.

—Lo hacen todo muy a conciencia —dijo Hilaria.

—Hay que hacerlo así.

—No me ha preguntado si Olivia Betterton me dijo algo antes de morir.

—Tengo entendido que tiene usted escrúpulos.

—Lo siento.

—No lo sienta. Yo la respeto por eso. Yo también quisiera tenerlos..., pero no entran en el reglamento.

—Me dijo algo que tal vez deba usted saber. Me dijo: «Dígale...», refiriéndose a Betterton, «dígale que tenga cuidado... Boris... es peligroso...»

—Boris. —Jessop repitió el nombre con interés—. ¡Ahí Nuestro correcto extranjero, el mayor Boris Glydr.

—¿Le conoce? ¿Quién es?

—Un polaco. Fue a verme a Londres. Se supone que es primo político de Tom Betterton.

—¿Se supone?

—Digamos, más exactamente, que si es en realidad lo que pretende ser, es primo de la difunta primera señora Betterton. Pero sólo tenemos su palabra.

—Estaba asustada —dijo Hilaria con el ceño fruncido—. ¿No puede describirlo? Me gustaría poder reconocerle.

—Sí. Pudiera ser que le viera. Seis pies de altura. Pesa unas ciento sesenta libras. Rubio... rostro de jugador de póquer... ojos claros... modales extranjeros... Habla un inglés muy correcto, pero con acento muy marcado, y su porte es marcial. —Y agregó—: Le hemos seguido desde que abandonó mi despacho. Nada de particular. Fue derecho a la Embajada de los Estados Unidos... completamente normal... me había enseñado una carta de presentación de allí. Las que acostumbran a enviar cuando desean ser amables y no comprometerse. Presumo que salió de allí en el automóvil de otra persona o por la puerta trasera y disfrazado de lacayo o algo por el estilo. El caso es que nos despistó. Sí... yo diría que es posible que Olivia Betterton tuviera razón al decir que Boris Glydr es peligroso.

Capítulo V

I

En el pequeño salón del «Hotel San Luis» se hallaban sentadas tres señoras, cada una de ellas enfrascada en sus ocupaciones. La señora Calvin Baker, bajita, regordeta, de cabellos blancos, casi azulados, estaba escribiendo unas cartas con la energía que aplicaba a todas sus actividades. Nadie la hubiera tomado por otra cosa que una viajera americana acomododada, y con una sed insaciable por obtener informes precisos acerca de todo ser viviente.

En una incómoda butaca, estilo imperio, la señorita Hetherington, que también era una inconfundible viajera inglesa, tejía una de esas melancólicas prendas de forma ambigua que las damas inglesas de mediana edad siempre tejen. Miss Hetherington era alta y delgada, de cuello descarnado, cabellos mal peinados y expresión de desaprobar moralmente a todo el Universo.

Mademoiselle Juana Maricot, sentada graciosamente en una silla de respaldo recto, contemplaba lo que ocurría al otro lado de la ventana, bostezando de cuando en cuando. La señorita Maricot era una morena teñida de rubio, de rostro vulgar, aunque exquisitamente maquillado. Sus ropas eran muy elegantes y no demostraba el menor interés por las otras ocupantes del salón, a quienes despreciaba interiormente por ser exactamente lo que eran. Estaban experimentando un gran cambio de vida y no tenía interés en desperdiciar el tiempo con aquellas estúpidas turistas.

La señora Hetherington y la señorita Calvin Baker, que habían pasado dos noches bajo el techo del «Hotel San Luis», trababan amistad. La señora Calvin Baker, con franqueza de americana, charlaba con todo el mundo. Y la señorita Hetherington, a pesar de que ansiaba tener compañía, hablaba sólo con ingleses y americanos que ella consideraba tenían cierto rango social. Con los franceses no se trataba, a menos que llevaran una vida respetable de familia, como el matrimonio que sentaba a sus hijos a su mesa en el comedor del hotel.

Un francés con aspecto de hombre de negocios echó una ojeada al salón, e intimidado por su aire de solidaridad femenina, volvió a salir tras dirigir una mirada prolongada a la señorita Juana Maricot.

Miss Hetherington comenzó a contar puntos *sotto voce*.

—Veintiocho, veintinueve... ahora que viene... ¡Oh, ya sé!

Una mujer alta, de cabellos color de fuego, entró en la estancia y marchó por el pasillo al comedor.

La señora Calvin Baker y miss Hetherington la vieron en seguida. La señora Baker, volviéndose desde el escritorio, dijo en un susurro emocionado:

—¿Se ha fijado en esa mujer pelirroja que se ha asomado, señorita Hetherington? Dicen que es la única superviviente del avión que se estrelló la semana pasada.

—La vi llegar esta tarde —dijo la señorita Hetherington mientras se le escurría un punto en su excitación—. Vino *en una ambulancia*.

—Directamente desde el hospital, me dijo el gerente.

Yo me pregunto si habrá hecho bien... en dejar... el hospital tan pronto. Creo que sufrió una fuerte conmoción.

—Lleva esparadrapo en la cara... quizá se cortó con los cristales. Tuvo suerte en no quemarse. Creo que lo más terrible de estos accidentes de aviación son las quemaduras.

—No quiero ni pensarlo. Pobrecilla. No sé si iría acompañada de su esposo y éste murió en la catástrofe.

—No lo creo. —Miss Hetherington meneó la cabeza cubierta de cabellos blancos—. En el periódico decía una pasajera.

—Es cierto. Y también venía su nombre. Una tal señora Beverly... no, Betterton, eso es.

—Betterton —repitió la inglesa, pensativa—. Ese nombre me recuerda algo. Betterton. En los periódicos. Oh, sí, estoy segura de que era ese nombre.

—*Tant pis pour Pierre* —decía mademoiselle Maricot para sus adentros—. *Il est vraiment insupportable! Mais le petit Jules, lui il est bien gentil. Et son père est très bien placé dans les affaires. Enfin, je me décide!* (1).

Y con un andar gracioso la señorita Maricot abandonó el salón y más tarde el piso.

II

La *esposa* de Tomás Betterton había abandonado el hospital aquella tarde, a los cinco días del accidente. Una ambulancia la condujo hasta el «Hotel San Luis».

_____

(1) Tanto peor para Pedro. Es verdaderamente insoportable. Mas el pequeño Julio es muy agradable. Y su padre está bien situado en los negocios. En fin, me decido.

Muy pálida, con aspecto enfermizo y algunas gasas sujetas con esparadrapo a su rostro, fue acompañada inmediatamente a la habitación que habían reservado para ella por un gerente que se deshizo en atenciones.

—¡Cuántas emociones debe haber experimentado, señora! —le dijo tras de preguntarle si la satisfacía la habitación, encendiendo todas las luces, cosa innecesaria—. ¡Y qué suerte de haber salido con vida! ¡Qué milagro! ¡Qué afortunada ha sido! Sólo tres supervivientes, y tengo entendido que uno de ellos se halla todavía muy grave.

Hilaria dejóse caer en su butaca.

—Sí, desde luego —murmuró—. Apenas puedo creerlo. Incluso ahora recuerdo muy pocas cosas. Las últimas veinticuatro horas anteriores a la catástrofe todavía me parecen muy confusas.

El gerente asintió con simpatía.

—Ah, sí. Ése es el resultado de la conmoción. Eso le ocurrió a mi hermana. Durante la guerra estaba en Londres. Cayó una bomba y ella perdió el conocimiento. Luego se levantó, estuvo paseando por Londres y tomó un tren en la estación de Euston y *figurez-vous*, se despertó en Liverpool y no recuerda nada de la bomba, ni de su paseo por Londres, ni del tren. Lo último que recuerda es que en Londres estaba colgando un vestido en un armario. Son cosas muy curiosas, ¿verdad?

Hilaria convino en que sí lo eran, y el gerente se retiró con una reverencia. La joven se levantó para mirarse al espejo. Estaba tan compenetrada con su nueva personalidad que sentía la flojedad de sus miembros que sería natural en quien acababa de abandonar el hospital tras una grave dolencia.

Había preguntado al conserje, pero no se había recibido ningún recado ni carta para ella. Los primeros pasos en su nueva vida tendría que darlos a ciegas. Es posible que Olivia Betterton tuviera que telefonear o encontrarse con determinada persona una vez en Casablanca. En cuanto a esto no tenían la menor pista. Todos sus conocimientos se reducían al pasaporte de Olivia Betterton, su tarjeta de identidad y los resguardos de la agencia Cook de los billetes y reservas de hoteles. Éstas consistían en dos días de estancia en Casablanca, seis en Fez y cinco en Marraquex. Claro que ahora aquellas reservas no coincidían con las fechas y tuvo que hacerse un nuevo arreglo. El pasaporte, el documento de identidad y la carta de crédito pudieron arreglarse convenientemente. Ahora la fotografía del pasaporte era la de Hilaria, y la firma de la carta de crédito decía *Olivia Betterton*, pero con la letra de Hilaria. Sus credenciales estaban todas en orden. Sólo restaba representar bien su papel y aguardar. Su mejor carta era el accidente del avión que explicaba su pérdida de memoria y su despiste general.

El accidente fue auténtico, y, efectivamente, Olivia Betterton se encontraba a bordo del avión. La conmoción sufrida disculparía que dejara de poner en práctica las instrucciones que pudiera haber recibido. Asustada, débil y desorientada, Olivia Betterton aguardaba la llegada de nuevas órdenes.

Lo más natural que procedía hacer en su caso era descansar, y por lo tanto se tendió sobre la cama. Durante dos horas estuvo recordando mentalmente todo lo que le habían enseñado. El equipaje de Olivia quedó destruido en la catástrofe. Hilaria tenía muy pocas cosas que le fueron suministradas en el hospital. Se pasó un peine por los cabellos, retocó sus labios y se dispuso a bajar al comedor para cenar.

Notó que la miraban con cierto interés. Habían varias mesas ocupadas por hombres de negocios que apenas le dirigieron una mirada, pero en otras evidentemente ocu-

padas por turistas, pudo darse cuenta de que cuchichea-
ban y que el tema de su conversación era ella.

—Esa señora que está allí... la pelirroja... es una superviviente del avión que se estrelló, querida. Sí, vino del
hospital en una ambulancia. Yo la vi llegar. Todavía parece muy enferma. No sé si debiera haber salido tan pronto del hospital. Qué experiencia más emocionante. ¡Escapar de milagro!

Después de cenar, Hilaria sentóse en el saloncito preguntándose si alguien se acercaría a ella. Había un par de
señoras allí sentadas y una bajita y regordeta de cabellos
casi azules de tan blancos acercó su silla a la suya y comenzó a charlar con su agradable acento americano.

—Espero que me perdone, pero me gustaría hablar con
usted. ¿No es cierto que usted escapó milagrosamente de
un accidente aéreo hará pocos días?

—Sí —le contestó.

Hilaria dejó la revista que estaba leyendo.

—¡Vaya! Debió ser terrible. Me refiero a la catástrofe.
Dicen que sólo hay tres supervivientes. ¿Es cierto?

—Sólo dos —replicó Hilaria—. Uno de los tres murió
en el hospital.

—¡Vaya! ¡No me diga! Ahora si me permite que le haga
una pregunta... señorita...

—Señora Betterton.

—Bueno, si no le molesta, ¿puede decirme dónde iba
sentada en el avión? ¿En la parte delantera o cerca de la
cola?

Hilaria conocía la respuesta y la soltó en el acto.

—Cerca de la cola.

—Siempre dicen que es el lugar más seguro, ¿no es
cierto? Ahora siempre insistiré en que me coloquen cerca
de las puertas posteriores. ¿Ha oído, señorita Hetherington? —volvió la cabeza para incluir en la conversación a la

otra dama de mediana edad. Aquélla era indudablemente inglesa y su rostro alargado recordaba el de un caballo—. Es lo que yo le decía el otro día. Siempre que viaje en avión no consienta que la azafata la coloque en la parte delantera.

—Supongo que alguien tendrá que sentarse delante —dijo Hilaria.

—Bueno, pero no seré yo —dijo su nueva amiga americana, con presteza—. A propósito, mi nombre es Baker, señora Calvin Baker.

Hilaria aceptó la presentación y la señora Baker monopolizó la conversación con suma facilidad.

—Acabo de llegar de Mogador y la señorita Hetherington de Tánger. Nos hemos conocido aquí. ¿Va usted a visitar Marraquex, señora Betterton?

—Eso había pensado —dijo Hilaria—. Claro que este accidente ha desbaratado todos mis planes.

—Desde luego, lo comprendo. Pero la verdad, no debe dejar de ver Marraquex. ¿No le parece, señorita Hetherington?

—Marraquex resulta carísimo —replicó la aludida—. Y esa miserable cantidad que nos permiten llevar lo hace todo muy difícil.

—Hay un hotel maravilloso, el «Mamounia» —continuó la señora Baker.

—Pero muy caro —insistió miss Hetherington—. Está fuera de mi alcance. Claro que para usted es distinto, señora Baker... me refiero a los dólares. Pero me dieron la dirección de un hotel pequeño, pero muy bonito y limpio, y dicen que la comida, aunque es al estilo del país, no está del todo mal.

—¿Adónde más piensa usted ir, señora Betterton? —le preguntó la americana.

—Quisiera visitar Fez —repuso Hilaria con precaución—.

Claro que tendré que reservar nuevamente una regular habitación.

—Oh, sí, desde luego no debe perderse Fez ni Rabat.

—¿Ha estado usted allí?

—Todavía no. Tengo pensado ir pronto, lo mismo que la señorita Hetherington.

—Creo que la ciudad antigua se conserva perfectamente —comentó la aludida.

La conversación continuó .por el estilo durante algún tiempo más. Luego Hilaria, apelando a su cansancio por ser el primer día que dejaba el hospital, las dejó para subir a su habitación.

Hasta entonces todo había sido muy impreciso. Las dos mujeres que trabaron amistad con ella pertenecían a un tipo tan corriente de turistas que apenas podía creer que fueran otra cosa que lo que aparentaban. A la mañana siguiente, de no haber recibido comunicación de ninguna clase, decidió que iría a la Cook para que arreglaran la cuestión de nuevas reservas en Fez y Marraquex.

No hubo cartas, ni mensajes, ni llamadas telefónicas, y a las once de la mañana siguiente emprendió el camino de la agencia de viajes. Había varias personas haciendo cola, y cuando al fin le llegó su turno hubo una interrupción al comenzar a dirigirse al empleado. Otro encargado de más edad apartó a su lado al joven y saludó a Hilaria con admiración.

—Es la señora Betterton, ¿verdad? Ya tengo todas sus reservas.

—Me temo que se hayan pasado las fechas —dijo Hilaria—. He estado en el hospital y...

—Ah, *mais oui*, ya lo sé. Permítame que la felicite por haberse salvado, madame, pero recibí su mensaje telefónico acerca de las nuevas reservas y ya las tenemos todas dispuestas.

Hilaria sintió que se le aceleraba el pulso. Por lo que ella sabía nadie había telefoneado a la agencia de viajes. Aquéllos eran signos definitivos de que los preparativos del viaje de Olivia Betterton eran supervisados y dijo:

—No estaba segura de si habían telefoneado o no.

—Pues sí, madame. Aquí tiene, se lo enseñaré

Y le trajo billetes de ferrocarril, los resguardos de los hoteles y a los pocos minutos habían realizado todas las transacciones. Hilaria debía salir para Fez al día siguiente.

La señora Calvin Baker no estuvo en el restaurante ni a comer ni a cenar. La señorita Hetherington sí, y correspondió al saludo de la joven cuando ésta pasó junto a su mesa, pero no hizo nada por entablar conversación con ella. Al día siguiente, tras efectuar algunas compras necesarias de trajes y ropa interior, Hilaria tomó el tren que había de conducirla a Fez.

III

Fue el día de la marcha de Hilaria cuando la señora Calvin Baker, que entraba en el hotel con su rapidez acostumbrada, fue abordada por la señorita Hetherington, cuya larga nariz temblaba de excitación nerviosa.

—He recordado ese nombre... *Betterton*. Es el de un científico desaparecido. Apareció en todos los periódicos hará cosa de dos meses.

—Vaya, ahora me parece recordar algo. Un científico británico... sí... había ido a París para un Congreso.

—Sí... eso es. He mirado el registro y he averiguado que su domicilio está en Harwell... ya sabe que Harwell es la Estación Atómica. Yo opino que esas bombas son una equivocación. Y el cobalto... un color tan bonito que usaba mucho cuando era pequeña para pintar... el peor de todos. Tengo entendido que nadie puede sobrevivir. No debieran realizar esos experimentos. Alguien me dijo el otro día que su primo, que es un hombre muy listo, dijo que el mundo entero podría entrar en *radiactividad*.

—¡Oh, Dios! —exclamó la señora Calvin Baker.

Capítulo VI

C ASABLANCA había desilusionado a Hilaria por ser una ciudad de aspecto próspero y francés sin el encanto del misterio oriental, exceptuando las multitudes que atestaban las calles.

El tiempo seguía siendo perfecto, claro y soleado y disfrutó contemplando el paisaje desde el tren en su viaje rumbo norte. Un hombrecillo francés, que parecía un viajante de comercio, ocupaba el asiento situado frente al suyo, y una monja que iba rezando el rosario en el rincón. Dos moras con muchos paquetes y que no dejaban de charlar alegremente, completaban el coche. Al ofrecerle fuego para encender su cigarrillo, el hombrecillo francés entabló conversación con Hilaria. Fue señalándole los puntos de interés por los que pasaban y dándole alguna información acerca del país. Le pareció interesante e inteligente.

—Debiera ir a Rabat, madame. Es una gran equivocación no ir a Rabat.

—Veré si puedo ir. Pero no tengo mucho tiempo. Además —sonrió—, el dinero se acaba pronto. Ya sabe que no se nos permite sacar mucho al extranjero.

—Pero eso es muy sencillo. Se arregla con un amigo de aquí...

—Yo no tengo ningún amigo en Marruecos.

—La próxima vez que viaje por aquí, madame, avíseme. Le daré mi tarjeta, y yo lo arreglaré todo. Yo suelo ir a Inglaterra a menudo por negocios y puedo resarcirme allí. Es bien sencillo.

—Es usted muy amable, y espero volver otra vez a Marruecos.

—Debe ser un gran cambio para usted que viene de Inglaterra... tan frío, con tanta niebla y tan desagradable.

—Sí, es un gran cambio.

—Yo también vine hace tres semanas desde París. Entonces había niebla, llovía... en fin, un asco. Llegué aquí y todo es luz y sol. A pesar de que el aire es frío, pero es puro. ¿Qué tal tiempo hacía en Inglaterra cuando usted se marchó?

—Como usted dice —repuso Hilaria—. Mucha niebla.

—Ah, sí, es la estación de las nieblas. Y nieve... ¿no ha nevado este año todavía?

—No —dijo Hilaria—, no ha nevado. —Se preguntaba si aquel viajante francés seguía lo que él consideraba una correcta conversación inglesa que versara principalmente acerca del tiempo. Le hizo algunas preguntas sobre la situación política en Marruecos y Argel, a las que respondió gustoso, mostrándose bien informado.

Al dirigir la mirada al fondo del departamento, observó que la monja la observaba desaprobadoramente. Las moras se apearon y entraron nuevos pasajeros. Era de noche cuando llegaron a Fez.

—Permítame que la ayude, madame.

Hilaria permanecía en pie, bastante aturdida por el ruido y bullicio de la estación. Mozos árabes le quitaban el equipaje de las manos gritando y desgañitándose al recomendar distintos hoteles. Volvióse agradecida a su nuevo amigo francés.

—¿Usted se dirige al Palacio Djamai, *n'est-ce pas*, madame?

—Sí.

—Muy bien. Está a ocho kilómetros de aquí, ¿comprende?

—¿A ocho kilómetros? —Hilaria sintióse desfallecer—. Entonces no está en la ciudad.

—Está junto a la ciudad antigua —le explicó el francés—. Yo me hospedo en el hotel comercial de la ciudad nueva, pero para las vacaciones, el descanso y las diversiones es natural que se vaya al palacio Djamai. Era una antigua residencia de la nobleza marroquí. Tiene hermosos jardines y se puede ir directamente desde él a la vieja ciudad de Fez, que permanece inalterada. Me parece que los de su hotel no han enviado a buscarla. Si me lo permite le buscaré un taxi...

—Es usted muy amable, pero...

El francés habló rápidamente en árabe a los maleteros y poco después Hilaria se acomodaba en un taxi en el que habían colocado su equipaje, y el viajante le dijo exactamente lo que debía dar a los rapaces maleteros. También les despidió en árabe cuando protestaron por la propina. Sacando una tarjeta de su bolsillo se la tendió.

—Mi tarjeta, madame, y si puedo ayudarle en algo en cualquier ocasión, llámeme. Estaré en el «Gran Hotel» cuatro días.

Y quitándose el sombrero para saludarla, se marchó. Hilaria miró la tarjeta que pudo leer antes de que se alejara de la luz de la estación:

Monsieur *Henry Laurier*

El taxi cruzó rápidamente la ciudad, y saliendo al campo enfiló una colina. Hilaria trataba de ver por la ventanilla por dónde iban, pero ya era noche cerrada. Y exceptuando cuando pasaban ante un edificio iluminado, nada podía ver. ¿Era aquí, quizá donde su viaje se apartaba de lo normal para entrar en lo desconocido? ¿Sería monsieur *Laurier* un emisario de la organización que había persuadido a Tomás Betterton a dejar su trabajo, su casa y su esposa? Permaneció en un rincón del taxi, nerviosa y preguntándose adónde la llevaban.

Sin embargo, el vehículo la condujo del modo más ejemplar al Palacio Djamai. Allí se apeó, y luego de atravesar un porche arqueado encontróse muy complacida en un interior oriental. Allí había largos divanes, mesitas bajas y alfombras del país. Desde el vestíbulo fue acompañada a través de varias habitaciones que comunicaban unas con otras hasta una terraza que entre naranjos y olorosas flores conducía a una escalera de caracol, y por ella a un acogedor dormitorio también de estilo oriental, aunque equipado con todos los «adelantos modernos», tan necesarios para los viajes del siglo xx.

El «botones» le informó de que la cena se servía a las siete y media. Deshizo el equipaje, se aseó, peinó sus cabellos y bajando la escalera atravesó el largo salón de fumar oriental, la terraza y subiendo un tramo de escalones encontróse en el iluminado comedor.

La cena fue excelente, y mientras Hilaria cenaba entraron y salieron varias personas del restaurante. Se encontraba demasiado cansada para observarlas y clasificarlas, mas una o dos personalidades sobresalientes llamaron su atención. Un hombre ya mayor de rostro amarillento y barba de chivo. Se fijó en él dada la extremada deferencia que le dedicaba el servicio. Le retiraban los platos y volvían a servirle a la menor indicación. El menor movimiento de una de sus cejas hacía acudir corriendo a un camarero. Se preguntaba quién sería. La mayoría de comensajes eran sin duda turistas en viaje de recreo. En la mesa del centro había un alemán, luego un hombre de mediana edad con una muchacha rubia muy bonita que tal vez fuese sueca o posiblemente danesa. Una familia inglesa con dos pequeños y varios grupos de americanos, así como tres familias francesas.

Después de cenar tomó el café en la terraza. Había refrescado ligeramente, pero no le resultaba desagradable y disfrutó del aroma de las flores. Se acostó temprano.

A la mañana siguiente, sentada en la terraza bajo la sombra rayada que la protegía del sol, Hilaria pensaba en lo fantástico de todo aquello. Allí estaba ella, pretendiendo ser una mujer fallecida, y esperando que ocurriera algo melodramático y fuera de lo corriente. Al fin y al cabo, ¿no era más que probable que la pobre Olivia Betterton hubiera marchado al extranjero sólo para distraer su mente y su corazón de tristes pensamientos y amarguras? La pobre mujer debía estar tan a oscuras como los demás.

Cierto que las palabras que pronunciara antes de morir tenían una explicación bien sencilla. Había deseado que previnieran a Tomás Betterton contra alguien llamado Boris. Y se había preguntado... con aquella extraña canción... cómo no podía creerlo al principio. ¿No podía creer qué? Posiblemente que Tomás Betterton hubiera desaparecido de aquel modo.

No hubo siniestros comentarios, ni pista alguna que pudiera ayudarles. Hilaria contempló el jardín situado bajo la terraza. Era muy bonito... y apacible. Los niños subían y bajaban de la terraza parloteando, las mamás francesas les llamaban o los reprendían. La rubia y jovencita extranjera fue a sentarse a una de las mesas con un bostezo, y sacando la barra de carmín retocó sus ya exquisitamente pintados labios de rosa muy pálido. Se miró escrutadoramente en el espejo y frunció el entrecejo.

Su acompañante... su esposo, o también podría haber sido su padre... fue a reunirse con ella, que le saludó sin la menor sonrisa y además le dirigió una frase de reproche, a las que él contestó disculpándose.

El anciano de rostro amarillento y barba de chivo subía a la terraza procedente del jardín. Tomó asiento en una mesa junto a la pared e inmediatamente se le acercó un camarero. Le dio una orden y el camarero, tras inclinarse respetuosamente, corrió a cumplirla. La rubita, muy excitada, cogió a su compañero del brazo y le hizo mirar al anciano con curiosidad.

Hilaria pidió un «Martini», y cuando se lo sirvieron preguntó al camarero en voz baja:

—¿Quién es ese señor que ocupa la mesa junto a la pared?

—¡Ah! —el camarero inclinóse con ademán teatral—. Es monsieur Arístides. Es fabulosamente rico... ya lo creo... riquísimo...

Y suspiró extasiado ante la contemplación de tanta riqueza, e Hilaria, mirando aquella figura decréptica e inclinada, se dijo que porque era rico todos los camareros corrían y hablaban con reverencia a aquel deshecho de la humanidad, seco y arrugado. Monsieur Arístides cambió de postura y por un momento sus miradas se encontraron. Él la contempló un instante y luego apartó la vista.

«Al fin y al cabo no es tan insignificante», pensó Hilaria. Aquellos ojos, a pesar de la distancia, resultaban extremadamente vivaces e inteligentes.

La joven rubia y su acompañante se dirigieron al comedor. El camarero, que ahora parecía considerarse el guía de Hilaria, se detuvo en su mesa para recoger el vaso y darle algunas nuevas informaciones.

—*Ce monsieur là* es un gran magnate de los negocios procedentes de Suecia. Es muy rico e importante. Y la joven que le acompaña es artista de cine... una nueva Garbo, según dicen. Muy elegante, muy bonita..., pero siempre le hace escenas. Nada le satisface. Está «harta» de estar aquí en Fez, donde no hay joyerías... ni otras mujeres ricas que admiren y envidien sus *toilettes*. Le exige que mañana la lleve a un lugar más divertido. Ah, no siempre son los ricos quienes pueden gozar de la paz y tranquilidad de conciencia.

Y tras pronunciar estas palabras como una sentencia vio que le llamaban y echó a correr por la terraza como hechizado.

—¿Monsieur?

La mayoría fueron pasando al comedor, pero Hilaria, como había desayunado tarde, no tenía prisa por comer, y pidió otro «Martini». Un francés bien parecido salió del bar y al pasar ante Hilaria le dirigió una mirada discreta que, aunque disimuladamente, quería decir:

—¿Es que aquí hay algo que hacer, me pregunto yo?

Y bajando los escalones dirigióse al jardín cantando un fragmento de ópera francesa:

Le long des lauriers roses
Revant de douces choses.

Las palabras despertaron un recuerdo en la mente de Hilaria. *Le long des lauriers roses*. Laurier. ¿*Laurier?* Ése era el nombre del hombrecillo francés del tren. ¿Tendría alguna relación, o era simplemente coincidencia? Abrió su bolso y sacó la tarjeta. *Henri Laurier, Rue des Croissant, 3. Casablanca.* Le dio la vuelta y le pareció ver unas ligeras señales hechas con lápiz en el dorso... Como si hubieran escrito algo y luego lo hubiesen borrado. Trató de descifrarlas. «*Ou sont*», comenzaba el mensaje, luego seguía algo que no alcanzó a comprender y terminaba con las palabras «*D'Antan*». Por un momento creyó que podía ser un mensaje, pero ahora meneó la cabeza y volvió a guardar la tarjeta en su bolso. Debía tratarse de una anotación hecha en cualquier momento que luego borraron.

Una sombra cayó sobre ella y alzó los ojos sobresaltada. La figura de monsieur Arístides se interponía entre ella y el sol, pero no miraba a ella, sino a los jardines y a las colinas que se recortaban en la distancia. Le oyó suspirar y volverse bruscamente en dirección al comedor, y al hacerlo la manga de su abrigo arrastró el vaso que había sobre su mesa y que se hizo pedazos sobre el suelo de la terraza. Él volvióse con presteza y amabilidad.

—¡Ah! *Mille pardons*, madame.

Hilaria le replicó en francés que no tenía la menor importancia y él con sólo mover un dedo hizo acudir a un camarero a toda velocidad, como de costumbre.

El anciano le ordenó que sirviera de nuevo a la señora y entonces, volviendo a disculparse, emprendió el camino del comedor.

El joven francés, todavía tarareando, volvió a subir a la terraza, y al pasar ante la mesa de Hilaria, dirigióle una mirada interrogador, pero al ver que ella no correspondía, se fue a comer alzando los hombros filosóficamente.

Una familia francesa atravesó la terraza, y los padres no cesaban de llamar a sus niños.

—*Mais viens, Bobo. Qu'est-ce que tu fais? Dépeche-toi!*
—*Laisse ta balle, chérie, on va déjeuner.*

Entraron contentos en el restaurante. Eran una familia muy feliz, e Hilaria se sintió de pronto muy sola y asustada.

El camarero le trajo su «Martini» y ella le preguntó si el señor Arístides estaba solo en el hotel.

— Oh, madame, naturalmente que un hombre tan rico

como monsieur Arístides nunca viaja *solo*. Ha venido con su séquito; el ayudante de cámara, dos secretarios y el *chauffeur*.

El camarero pareció escandalizado por la idea de que el señor Arístides pudiera viajar sin compañía.

Sin embargo, Hilaria pudo observar, cuando al fin decidióse a entrar en el comedor, que el anciano estaba solo en la mesa, lo mismo que la noche anterior. En otra mesa cercana se hallaban dos jóvenes que ella tomó por sus secretarios, puesto que ambos no perdían de vista la mesa donde el señor Arístides, con su aire de simio, engullía su comida sin acordarse de su existencia. ¡Evidentemente para él los secretarios no eran seres humanos!

La tarde transcurrió como en un sueño.. Hilaria paseó por los jardines, descendiendo de una terraza a otra. La paz y la belleza de aquel lugar eran asombrosas... El murmullo del agua... el dorado color de las naranjas y las innumerables fragancias y aromas. Era su atmósfera de aislamiento lo que le satisfizo. *Como un jardín cerrado es mi hermana, mi esposa...* Un jardín como aquél... apartado del mundo... y lleno de verdor y tonos dorados.

«Si pudiera —pensaba Hilaria—, me quedaría aquí para siempre.»

No era precisamente por el jardín del Palacio Djamai, sino por el estado de ánimo que simbolizaba. Cuando ya no buscaba la paz, la había encontrado. Y la tranquilidad de espíritu llegaba a ella en el momento de entregarse al peligro y la aventura.

Mas tal vez no hubiese peligro ni aventura. Quizá pudiera quedarse allí sin que ocurriese nada... y luego...

Luego, ¿qué?

Se alzó una ligera brisa e Hilaria estremecióse involuntariamente. Uno se refugia en el jardín de la vida tranquila, pero al fin hay que salir de él. Y ella llevaba en su interior el torbellino del mundo, la vida dura y penas y desilusiones.

La tarde iba declinando y el sol perdiendo su fuerza. Hilaria fue ascendiendo por las terrazas para penetrar en el hotel.

En la penumbra del vestíbulo oriental vio moverse algo alegre e inquieto, y cuando sus ojos se acostumbraron a la oscuridad descubrió a la señora Calvin Baker con sus cabellos más azules que nunca y un aspecto tan impecable como siempre.

—Acabo de llegar en avión —le explicó—. ¡No puedo soportar esos trenes que tardan tanto! ¡Y la gente que uno se encuentra a veces... son tan insanos! En estos países no tienen la menor idea de lo que es la higiene. Querida, tendría que ver la carne que venden en los zocos... toda cubierta de moscas. Parece que encuentran natural que las moscas se paseen por todas partes.

—Y supongo que lo es —dijo Hilaria.

La señora Calvin Baker no iba a dejar pasar un comentario tan hereje.

—Soy una defensora del Movimiento de Higiene Alimenticio. En mi país todos los comestibles están envueltos en celofán..., pero incluso en Londres presentan el pan y los pasteles sin envolver. Ahora, cuénteme, ¿qué es lo que ha estado haciendo? Supongo que hoy habrá recorrido la ciudad antigua...

—Me temo que no he «hecho» nada —repuso Hilaria con una sonrisa—. Me he limitado a tomar el sol.

—Ah... claro... me olvidaba de que acaba de salir del hospital. —Era evidente que sólo una reciente enfermedad era aceptada por la señora Calvin Baker como pretexto para dejar de visitarla—. ¿Cómo puedo ser tan tonta? Vaya, es cierto que tras su conmoción no debe hacer **otra cosa que descansar en una habitación a oscuras la** mayor parte del día. Poco a poco podremos hacer algunas excursiones juntas. Soy de esas personas que gustan de tener todo el día ocupado... todo planeado y dispuesto de antemano... hasta el último momento.

En el presente estado de ánimo de la joven, aquello le parecía un infierno, pero felicitó a la señora Calvin Baker por su energía.

—Bueno, me atrevo a decir que para mi edad sé desenvolverme bastante bien. Casi nunca me canso. ¿Se acuerda de la señorita Hetherington de Casablanca? Aquella inglesa de cara larga. Va a llegar esta noche. Ella prefiere el tren al avión. ¿Quién se hospeda en el hotel? Supongo que la mayoría serán franceses y parejas de recién casados. Ahora debo ir a ver mi habitación. No me agradó la que me dieron y han prometido cambiármela.

Y la señora Baker se alejó con su acostumbrada vivacidad.

Cuando Hilaria entró en el comedor aquella noche, lo primero que vio fue a la señorita Hetherington sentada a una mesita cerca de la pared con un librito abierto frente a ella.

Después de comer, las tres mujeres tomaron café juntas y miss Hetherington mostróse muy excitada al conocer la extravagante historia del magnate sueco y la estrella de cine.

—Tengo entendido que no están casados —comentó disimulando su satisfacción con un gesto de desaprobación—. Hoy en día se ven tantas cosas por el extranjero... Aquella familia francesa parece muy formal, y los niños quieren mucho a su papá. Claro que a los niños franceses les permiten estar levantados hasta muy tarde. Muchas veces no se acuestan hasta después de las diez, y toman lo que les apetece de la minuta, en vez de leche y bizcochos como debieran tomar.

—Pues parecen muy sanos —dijo Hilaria maquinalmente riendo.

—Ya lo pagarán después —replicó la señorita Hetherington con desaprobación—. Sus padres incluso les permiten beber vino.

Su horror había llegado al máximo.

La señora Calvin Baker comenzó a hacer planes para el día siguiente.

—No creo que vaya a ver la ciudad antigua —dijo—. Ya la recorrí concienzudamente la última vez. Es muy interesante y parece un laberinto. De no haber sido por el guía dudo que hubiera sabido regresar al hotel. Allí se pierde el sentido de la orientación. Pero el guía era un hombre muy agradable y me contó un sinfín de cosas interesantes. Tiene un hermano en Estados Unidos... en Chicago creo que dijo. Luego, cuando terminamos de ver la ciudad, me llevó a una especie de casa de comidas, o salón de té, sobre la colina, que domina toda la ciudad antigua... una vista maravillosa. Tuve que beber ese terrible té de menta, desde luego, que de verdad resulta bastante desagradable, y querían que comprara varias cosas, algunas bastante bonitas, pero otras feas e inútiles. Hay que mostrarse muy firme, ¿sabe?

—Sí, desde luego —dijo la señora Hetherington, agregando casi sin respirar—: Y, por supuesto, la verdad es que no se puede malgastar el dinero en recuerdos. Es tan molesto el tener que andar con poco dinero...

Capítulo VII

I

HILARIA esperaba evitar el tener que ir a la antigua ciudad de Fez en la desagradable compañía de la señorita Hetherington. Afortunadamente esta última fue invitada por la señora Baker a hacer una excursión en un automóvil. Puesto que la señora Baker había dejado bien patente su deseo de pagar el coche, miss Hetherington aceptó encantada, ya que el dinero que le habían permitido llevar en su viaje iba disminuyendo de un modo alarmante. Hilaria, tras informarse en el hotel, salió acompañada de un guía dispuesta a visitar la ciudad de Fez.

Salieron a la terraza y desde allí fueron bajando a otras inferiores hasta llegar a una enorme puerta del muro, al fondo del jardín. El guía sacó una llave de tamaño gigantesco, y abriendo la puerta se hizo a un lado para dejar pasar a Hilaria.

Era como entrar en otro mundo. A su alrededor se alzaban las murallas de la antigua Fez. Calles estrechas e intrincadas, altos muros y de cuando en cuando por alguna puerta podía verse un interior o un patio, y junto a ella pasaban asnos cargados, hombres con bultos, mujeres cubiertas con velos, o descubiertas... en fin, toda la vida secreta de aquella ciudad mora. Vagando por las callejuelas olvidó todo lo demás: su misión, la tragedia de su vida pasado, e incluso de sí misma. Era todo ojos y oídos, viviendo y paseando por aquel mundo de ensueño. La única molestia era el guía, que no cesaba de charlar y la apremiaba para que entrase en varios establecimientos que no le inspiraban la menor curiosidad.

—Ya verá, señora. Este hombre tiene cosas muy bonitas, baratas, antiguas y auténticamente morunas. Tiene vestidos y sedas. ¿Le gustan los collares de cuentas?

El eterno comercio del Este vendiendo al Oeste continuaba, pero apenas perturbó su encanto y pronto fue perdiendo el sentido de la orientación. Dentro de aquella ciudad amurallada apenas tenía idea de si se dirigía al Norte o al Sur, o de si volvería a pasar por las mismas calles por las que acababan de pasar. Estaba casi exhausta cuando el guía le hizo la última sugerencia, que evidentemente formaba parte de la costumbre.

—Ahora voy a llevarla a una casa muy bonita... superior. Son amigos míos. Podrá tomar té con menta y le enseñarán cosas preciosas.

Hilaria reconoció el lugar descrito por la señora Calvin Baker. No obstante, estaba dispuesta a ver todo lo que le propusieran. Al día siguiente volvería sola a la ciudad antigua para deambular por ella sin aquel guía charlatán pisándole los talones. De modo que se dejó llevar por un camino que ascendía hasta más arriba de los muros de la ciudad. Al fin llegaron a un jardín que rodeaba a una atractiva casa construida según el estilo nativo.

Desde allí se dominaba toda la ciudad, y la hicieron sentar ante una mesita. A su debido tiempo les sirvieron los vasos de té con menta. A Hilaria, que no le gustaba el té con azúcar, le costó un gran esfuerzo beberlo; pero imaginando que se trataba de una nueva clase de limonada, casi desfrutó tomándolo. También le agradó que le mostraran alfombras, abalorios y telas bordadas y otras muchas cosas. Hizo un par de adquisiciones de poca importancia, más para corresponder a las atenciones de los vendedores que por ninguna otra cosa. El infatigable guía le dijo:

—Ahora tengo un coche preparado y la llevaré a dar un paseíto de cosa de una hora para que vea el hermoso paisaje, y luego regresaremos al hotel. —Y agregó, asumiendo una expresión muy discreta—: Esta jovencita la acompañará primero al tocador.

La muchachita que había servido el té la contemplaba sonriente y dijo en seguida en inglés:

—Sí, sí, señorita. Venga conmigo. Tenemos una *toilette* muy bonita. Igual que la del «Hotel Ritz». Como las de Nueva York o Chicago. ¡Ya verá!

Sonriendo, Hilaria siguió a la muchacha. El tocador apenas hacía honor a la propaganda, pero por lo menos tenía agua corriente. Había un pequeño lavabo y un espejo rajado, que reflejó su rostro tan desfigurado que Hilaria, al verse, casi se echa atrás asustada. Cuando se hubo lavado y secado las manos, cosa que hizo con su propio pañuelo, pues no le atraía el aspecto de la toalla, se volvió dispuesta a salir.

Sin embargo, la puerta del tocador parecía haberse atascado. Estuvo forcejeando, pero no se movió. Hilaria se preguntó si la habrían encerrado desde fuera, y se puso furiosa. ¿Con qué idea la encerraban allí? Entonces observó que había otra puerta al fondo. Acercándose, trató de abrirla, y esto lo consiguió con gran facilidad.

Al cruzarla se encontró con una salita reducida de aspecto europeo cuya única iluminación era la claridad que penetraba por las rendijas de las paredes. Sentado en un diván bajo y fumando se encontraba el hombrecillo francés que conociera en el tren: el señor Henri Laurier.

II

No se levantó para saludarla, limitándose a decir con voz algo distinta:

—Buenas tardes, señora Betterton.

Por unos instantes Hilaria permaneció inmóvil por el asombro. De modo que era...*esto*. Se rehízo.

«Esto es lo que tú esperabas. Actúa como tú crees que *ella* lo haría.» Y adelantándose dijo con vehemencia:

—¿Tiene alguna noticia para mí? ¿Puede ayudarme?

Asintió el francés y dijo en tono de reproche:

—En el tren la encontré algo obtusa, madame. Tal vez es que está demasiado acostumbrada a hablar del tiempo.

—¿Del tiempo? —Hilaria le miraba desorientada.

¿Qué es lo que había dicho del tiempo? ¿Que hacía frío? ¿Niebla? ¿Nieve?

Nieve. Ésa era la palabra que Olivia Betterton le susurró antes de morir. Y luego tarareó una tonadilla... ¿cómo era?

> *Caes sobre la colina y luego te vas.*
> *Nieve, nieve, hermosa nieve.*

Hilaria la repitió ahora en voz alta.

—Exacto... ¿por qué no respondió inmediatamente como le ordenaron?

—¿No lo comprende? He estado enferma. Sufrí un accidente y luego estuve en el hospital con conmoción cerebral, y eso ha afectado mi memoria. Las cosas ocurridas hace algún tiempo las recuerdo bastante bien, pero hay algunas lagunas terribles... —Se llevó las manos a la cabeza y no le costó hacer que su voz temblara realmente—. No puede comprender lo que asusta eso. Me da la sensación de que he olvidado cosas importantes... realmente importantes, y cuanto más me esfuerzo por recordarlas, menos me acuerdo.

—Sí —replicó Laurier—. El accidente de avión fue un contratiempo. —Habló en tono frío y comercial—. Será cuestión de ver si tendrá el valor y la energía suficiente para continuar su viaje.

—Por supuesto que continuaré el viaje —exclamó Hilaria—. Mi esposo... —su voz se quebró.

El hombrecillo sonrió, pero su sonrisa no era agradable, sino más bien parecida a la de un gato.

—Su esposo —le dijo— tengo entendido que la aguarda con impaciencia.

—No tiene usted idea —continuó la joven con voz rota— de lo que han sido estos meses sin él...

—¿Usted cree que las autoridades británicas han llegado a una conclusión definitiva de lo que usted sabía o no sabía...?

Hilaria continuó su papel a las mil maravillas.

—¿Vómo voy a saberlo... y cómo puedo asegurarlo? Parecieron *satisfechos*...

—De todas maneras... —se detuvo.

—Creo posible que me hayan seguido hasta aquí —dijo Hilaria despacio—. No puedo indicarle a ninguna persona en particular, pero desde que salí de Inglaterra siento la firme sensación de que me observan continuamente.

—Natural —replicó Laurier con frialdad—. No esperábamos menos.

—Pensé que debía advertirle.

—Mi querida señora Betterton. No somos niños y sabemos lo que hacemos.

—Lo siento —dijo Hilaria con humildad—. Supongo que no soy muy importante.

—Eso no importa mientras sea obediente.

—Lo seré —repuso la joven en voz baja.

—No tengo la menor duda de que ha sido muy vigilada en Inglaterra desde la marcha de su esposo. Sin embargo, recibió usted el mensaje, ¿verdad?

—Sí —replicó Hilaria.

—Ahora —continuó Laurier con su aire comercial— voy a darle sus instrucciones, madame.

La joven prestó atención.

—De aquí saldrá para Marraquex pasado mañana, según tenía planeado y de acuerdo con las reservas de hoteles.

—Sí.

—Al día siguiente de su llegada, recibirá un telegrama desde Inglaterra. Ignoro lo que dirá, pero será suficiente para que usted empiece inmediatamente a hacer los preparativos para regresar a Inglaterra.

—¿Tengo *que regresar a Inglaterra*?

—Por favor, escuche. No he terminado. Tomará un billete para el avión que sale de Casablanca al día siguiente.

—Suponga que no encuentro... que no hay billetes...

—Encontrará. Todo está arreglado. Ahora, ¿ha comprendido bien?

—Sí.

—Entonces haga el favor de regresar junto a su guía, que la está esperando. Ya lleva demasiado rato en el tocador. A propósito, ¿usted ha trabado amistad con una americana y una inglesa en el Palacio Djamai?

—Sí. ¿Hice mal? Fue muy difícil de evitar.

—En absoluto. Eso facilita nuestros planes. Si pudiera convencer a una de ellas para que la acompañara a Marraquex sería mucho mejor. Adiós, madame.

—*Au revoir, monsieur.*

—No es probable que volvamos a vernos —le dijo **Laurier** con una completa falta de interés.

Hilaria regresó al tocador y esta vez encontró la puerta abierta. Pocos minutos después se reunía con el guía en el salón de té.

—Tengo esperando un automóvil muy bonito —le dijo el guía—. Ahora la llevaré a dar un paseo instructivo.

Y la excursión continuó de acuerdo con el plan.

III

—De modo que se marcha mañana a Marraquex —le dijo la señorita Hetherington—. No ha estado mucho tiempo en Fez, ¿verdad? ¿No le hubiera sido mucho más fácil ir primero a Marraquex, luego a Fez y después volver a Casablanca?

—Supongo que sí —repuso Hilaria—, pero es difícil conseguir habitación en los hoteles. Aquí hay mucha gente.

—Pero pocos ingleses —contestó la señorita Hetherington, bastante desconsolada—. Hoy en día es difícil encontrar a *algún* compatriota. —Miró a su alrededor con desprecio—. Todos son franceses.

Hilaria sonrió ligeramente. Para miss Hetherington parecía no tener importancia el hecho de que Marruecos fuese una colonia francesa. En las demás partes del extranjero los hoteles veíanse muy concurridos por los turistas ingleses.

—Franceses, alemanes, armenios y griegos —intervino la señora Calvin Baker con una risita—. Ese hombrecillo de ahí creo que es griego.

—Eso me han dicho —replicó Hilaria.

—Parece una persona importante —dijo la señora Baker—. Fíjese con qué prontitud le atienden los camareros.

—Y en cambio a los ingleses apenas les prestan atención hoy en día —contestó la señorita Hetherington—. Siempre les dan las peores habitaciones sin ventilación... de esas que ocupaban antiguamente las doncellas y ayudas de cámara.

—Bueno, yo no puedo decir que haya encontrado ninguna deficiencia en los hoteles desde que he llegado a Marruecos —dijo la señora Baker—. Siempre me las he arreglado para conseguir una habitación confortable y con cuarto de baño.

—Usted es americana —replicó la Hetherington con algo de veneno y haciendo entrechocar violentamente las agujas de su labor de punto.

—Me gustaría poder convencerlas para que vinieran a Marraquex conmigo —les dijo la joven—. Ha sido tan agradable conocerlas y poder charlar con ustedes. La verdad, resulta aburrido viajar sola.

—Yo ya he estado en Marraquex —dijo miss Hetherington.

No obstante, la señora Calvin Baker pareció bastante entusiasmada.

—Bien, desde luego es una buena idea —dijo—. Ya ha pasado casi un mes desde que estuve allí, y me gustaría volver; podría acompañarla a todas partes e impedir que la engañen señora Betterton. Hasta que se ha estado en un sitio no se saben los trucos. Voy a ir ahora mismo a la agencia a ver si puedo arreglarlo.

Cuando se hubo marchado, la señorita Hetherington comentó con acritud:

—Es igual que todas las americanas. Van de una parte a otra, sin quedarse en ninguna. Un día en Egipto, otro en

Palestina. Algunas veces no deben saber siquiera en qué país están.

Y tras recoger su labor cuidadosamente, abandonó el salón turco, dedicando a Hilaria una inclinación de cabeza. La joven miró su reloj. Sentíase tentada a no cambiarse de ropa como hacía todas las noches para cenar, permaneció sola, en aquella estancia poco iluminada y adornada al estilo oriental. Entró un camarero con dos lámparas. No daban mucha luz y la habitación continuó sumida en una agradable penumbra e Hilaria se recostó en el diván pensando en las dificultades que le deparara el futuro.

El día anterior se estuvo preguntando si todo aquel asunto en que se había metido no sería una fantasía absurda... Y ahora... ahora se disponía a emprender su verdadero viaje. Debía andar con cuidado, con mucho cuidado, y no cometer el menor error. Debía ser Olivia Betterton, medianamente educada, convencional, sin aficiones artísticas, pero con simpatías izquierdistas muy marcadas, y muy enamorada de su marido.

—No debo cometer el menor error —díjose interiormente.

¡Qué extraño le parecía encontrarse sola en Marruecos! Le daba la impresión de haber penetrado en un mundo misterioso y encantador. ¡Aquella lámpara que ardía junto a ella! ¿Si la tomaba entre sus manos y la frotaba, aparecería el «Genio de la Lámpara»? Al pensarlo se sobresaltó. Detrás de la lámpara había aparecido el rostro menudo, arrugado y con barba puntiaguda de monsieur Arístides, quien saludándola cortésmente antes de sentarse a su lado le dijo:

—¿Me permite, madame?

Hilaria, a su vez, correspondió al saludo con amabilidad.

Sacando su pitillera, monsieur Arístides le ofreció un cigarrillo, que ella aceptó de buen grado.

—¿Le gusta este país, madame? —le preguntó cuando se lo hubo encendido.

—Llevo aquí muy poco tiempo —dijo la joven—. Pero hasta ahora me parece encantador.

—¡Ah! ¿Ha estado usted en la ciudad antigua? ¿Le ha gustado?

—Es maravillosa.

—Sí, lo es. Allí está el pasado... un pasado de comercio, intriga, susurros, actividades secretas y todo el misterio y la pasión de una ciudad encerrada entre sus muros y callejuelas. ¿Sabe lo que pienso cuando paseo por las calles de Fez

—No.

—Pues en su gran calle Oeste de Londres. En los grandes edificios de las fábricas que se alzan a ambos lados de la calle completamente iluminados por luces de neón, y lo fácilmente que puede verse a las personas que están en su interior al pasar en automóvil. No hay nada escondido, nada misterioso. Ni siquiera hay cortinas en las ventanas. No, realizan su trabajo ante los ojos de todo el que quiera observarles. Es como ver con detención el interior de un hormiguero.

—¿Quiere decir que es el contraste lo que interesa?

Monsieur Arístides asintió con la cabeza de tortuga.

—Sí —le dijo—. Allí todo está a la vista, en las viejas calles de Fez todo está escondido... oscuro... Pero... —Se inclinó, apoyándose en la mesita de cobre—. Pero ocurren las mismas crueldades, opresiones y ansias de poder; los mismos regateos y cálculos.

—¿Usted cree que la naturaleza humana es la misma en todas partes? —le preguntó Hilaria, interesada.

—En cada país. En el pasado, lo mismo que en presente, hay siempre dos cosas esenciales: crueldad y benevolencia. O una u otra. A veces ambas. —Y continuó cambiando de tono—. Me han dicho que el otro día sufrió usted un terrible accidente en Casablanca.

—Sí, es cierto.

—La envidio —dijo monsieur Arístides inesperadamente.

Hilaria le miraba asombrada, y él volvió a asentir con la cabeza.

—Sí —repitió—. Merece que la envidien. Ha vivido una gran experiencia. Me gustaría haber estado tan cerca de la muerte. Ya que ha tenido la suerte de sobrevivir... ¿no se siente distinta desde entonces, madame?

—Sí, pero resulta algo desagradable —dijo Hilaria—. Sufrí una fuerte conmoción cerebral que me da muchos dolores de cabeza y también ha afectado mi memoria.

—Eso son ligeras molestias —replicó Arístides con un gesto—, pero debe haber pasado una gran aventura del espíritu, ¿no es cierto?

—Es cierto que ha sido una gran aventura —repuso Hilaria despacio, pensando en una botella de agua de Vichy y un montoncito de tabletas para dormir.

—Yo nunca he pasado por esa experiencia —dijo monsieur Arístides con disgusto—. Por muchas otras sí, pero ésta no.

Y poniéndose en pie se inclinó y dijo antes de dejarla:

—*Mes hommages, madame.*

Capítulo VIII

Qué parecidos son todos los aeropuertos!, pensaba Hilaria. Poseían una extraña impersonalidad. Todos se encontraban a cierta distancia de la ciudad o población a que pertenecían, y en consecuencia daban la sensación de no estar en parte alguna. ¡Podría volarse desde Londres a Madrid, Roma, Estambul, El Cairo y a otras tantas otras ciudades como se quiera, y si el viaje se realiza siempre por el aire, no se tendría la menor idea de cómo son estos lugares! Vistos desde el aire, sólo son una especie de mapa... algo construido por un niño con una caja de ladrillos.

¿Y por qué, pensó cansada, mirando a su alrededor, hay que llegar siempre a los aeródromos con tanta antelación?

Habían pasado casi media hora en la sala de espera. La señora Calvin Baker, que se había decidido a acompañar a la joven a Marraquex, había estado hablando sin parar desde que llegaron. Hilaria le contestaba casi mecánicamente; pero ahora se daba cuenta de que la señora Baker dedicaba su atención a otros dos viajeros sentados cerca de ella. Un americano con una sonrisa franca, y el otro un danés o noruego de aspecto serio. Este último hablaba pesadamente en un inglés pedante y cuidado. El americano había estado encantado de haber encontrado a una compatriota. La señora Baker volvióse hacia Hilaria.

—¿Señor...? Quisiera que conociera a mi amiga, la señora Betterton.

—Andrés Peters... Andy para mis amigos.

El otro joven se puso en pie e inclinándose dijo:

—Torquil Ericson.

—Ahora ya nos conocemos todos —dijo la señora Baker alegremente—. ¿Van también a Marraquex? Es la primera vez que lo visita mi amiga...

—Yo también —dijo Ericson—, voy por vez primera.

—Y yo lo mismo —dijo Peters.

Los altavoces dieron algunas instrucciones en francés. Apenas podían entenderse las palabras, pero al parecer les llamaban al avión.

Había otros cuatro pasajeros aparte de la señora Baker e Hilaria: Peters, Ericson, un francés alto y delgado y una monja.

Hacía un día claro y soleado y las condiciones de vuelo eran excelentes. Recostada en su asiento con los párpados entornados, la joven fue estudiando a sus compañeros de viaje para distraer las angustiosas preguntas que acudían a su mente.

En el asiento anterior al suyo, y al otro lado del pasillo, la señora Calvin Baker, con su traje gris de viaje parecía una gallina rolliza y satisfecha. Llevaba en equilibrio sobre sus cabellos un sombrerito con alas y se entretenía pasando las hojas de una revista. De cuando en cuando daba unos golpecitos en el hombro del joven sentado ante ella, que era el simpático americano, Peters. Entonces él se volvía con su agradable sonrisa para responder a sus observaciones. Qué francos y abiertos eran los americanos, pensó Hilaria, y qué distintos de los ingleses. No podía imaginar a la tiesa señorita Hetherington charlando con un joven en un avión, aunque fuera de su misma nacionalidad, y dudaba que el inglés le hubiese contestado de tan buen grado como aquel joven americano.

Al otro lado del pasillo y a su misma altura estaba el noruego Ericson.

Al tropezar con su mirada hizo una pequeña inclinación de cabeza y le ofreció una revista que acababa de leer. Ella le dio las gracias al tomarla. Detrás de él iba el francés delgado y moreno, que al parecer dormía tranquilamente.

Hilaria volvió la cabeza para mirar quién ocupaba el asiento posterior al suyo. La monja, seria e inexpresiva, estaba sentada muy quieta y con las manos juntas. A la joven le parecía anacrónico que una mujer con ropas medievales viajara en avión en pleno siglo xx.

Seis personas que volarían juntas durante unas horas dirigiéndose a distintos puntos con diversos propósitos, para luego separarse y tal vez no volver a encontrarse nunca. Había leído una novela que versaba sobre un tema similar, y en la que se seguían cada una de las seis vidas. Imaginó que el francés debía estar de vacaciones... daba la sensación de estar tan cansado... El joven americano tal vez fuese un estudiante, y Ericson iría a tomar posesión de un empleo. La monja era evidente que iba a su convento.

Hilaria cerró los ojos, olvidándose de sus compañeros de viaje, y como la noche anterior volvieron a intrigarle las órdenes recibidas. ¡Debía regresar a Inglaterra! ¡Era una locura! O tal vez no confiaran en ella por alguna razón... por haber dejado de pronunciar ciertas palabras, o carecer de las credenciales que debiera presentar Olivia Betterton. Suspiró tranquila.

—Bueno —se dijo—. No puedo hacer más de lo que hago. Si fracaso... habré fracasado. De todas maneras, lo hago lo mejor que sé.

Entonces le asaltó otro pensamiento. Henri Laurier había aceptado como natural e inevitable que la vigilaran estrechamente en Marruecos..., ¿sería posible un medio de acallar sus sospechas? Con el rápido retorno de la señora Betterton a Inglaterra darían por hecho que no había ido a Marruecos para «desaparecer», como su esposo. Dejarían de sospechar... y entonces la considerarían una viajera de *buena fe*.

Volvería a salir de Inglaterra con la *Air France*... vía París... y quizás en París...

—Sí, claro... en París. En París fue donde desapareció Tom Betterton. Allí era mucho más sencillo. Tal vez Betterton no hubiera salido de París. Tal vez...

Cansada de tanto pensar, Hilaria se quedó dormida. Cuando despertó... fue hojeando la revista sin interés. Luego, despabilándose del todo, observó que el avión iba perdiendo altura trazando círculos. Miró su reloj, pero era muy temprano para que estuvieran llegando. Además, mirando por la ventanilla no pudo distinguir la menor señal de que se encontraran sobre un aeródromo.

Por un momento sintióse alarmada. El francés delgado y moreno se puso en pie, bostezó, estiró los brazos y mirando al exterior dijo algo en francés que no comprendió. Y Ericson, inclinándose hacia ella, comentó:

—Parece que vamos a aterrizar aquí... pero, ¿por qué?

La señora Calvin Baker, volviendo la cabeza desde su asiento, asintió enérgicamente mientras Hilaria decía:

—Sí, parece que aterrizamos.

El avión siguió trazando círculos cada vez a menor altura. El campo que se extendía debajo parecía prácticamente desierto, sin señales de casas o pueblos. Las ruedas tocaron tierra con brusquedad y el avión siguió corriendo hasta que al fin se detuvo. Había sido un aterrizaje brusco, pero tomaron tierra en medio del campo.

¿Habrían sufrido alguna avería en el motor, o les faltaba combustible? El piloto, un joven apuesto de rostro tostado por el sol, salió de la cabina echando a andar por el pasillo del avión.

—Hagan el favor de apearse todos —les dijo.

Y abriendo la puerta posterior puso la escalerilla y permaneció de pie hasta que todos hubieron salido. Se agruparon sobre el campo, temblando ligeramente. Hacía frío y el viento procedente de las montañas era cortante. Hilaria observó que las montañas que se veían en la distancia estaban cubiertas de nieve y eran muy hermosas. El piloto descendió a su vez y les dirigió la palabra en francés.

—¿Están todos? ¿Sí? Hagan al favor de tener paciencia. Tal vez tengan que esperar un poco. ¡Ah, no, ahí llega!

Y señaló un puntito en el horizonte que iba acercándose gradualmente. Hilaria, con voz asustada, preguntó:

—Pero, ¿por qué hemos aterrizado aquí? ¿Qué ocurre? ¿Cuánto tiempo esperaremos?

El viajero francés dijo:

—Tengo entendido que está llegando una camioneta. Podremos refugiarnos en ella.

—¿Es que han fallado los motores? —inquirió la joven.

—Pues no, yo no diría eso; a mí me sonaban bien. Sin embargo, no dudo de que arreglarán lo que sea.

Ella le miró extrañada y la señora Calvin Baker murmuró:

—Cielos, pero qué frío hace aquí. Esto es lo peor de este clima. Parece que es caluroso, pero refresca en el momento que se pone el sol.

El piloto murmuraba entre dientes:

—*Toujours des retards insupportables.*

La camioneta se acercaba a una velocidad suicida. El conductor la detuvo con un fuerte chirriar de frenos. Se apeó en seguida, enfrascándose en una acalorada discusión con el piloto, en la que intervino la señora Baker... sorprendiéndola al oír hablar en francés.

—No pierdan el tiempo —les dijo—. ¿De qué sirve discutir? Queremos salir a la mayor brevedad posible de aquí.

El conductor se encogió de hombros y dirigiéndose a la camioneta abrió la parte superior de la misma. En su interior había una enorme caja de embalaje. Con la ayuda del piloto, Ericson y Peters la bajaron al suelo. Por el esfuerzo que les costó parecía pesar mucho. La señora Baker se apoyó en el brazo de Hilaria y le dijo cuando el hombre alzaba la tapa de la caja:

—Yo de usted no miraría, querida. No es muy agradable.

Y condujo a la joven al otro lado del vehículo y a cierta distancia. El francés y Peters fueron con ellas. El primero dijo en su lengua:

—¿Qué es esto entonces... esa maniobra que realizan ahora?

La señora Baker le preguntó:

—¿Es usted el doctor Barron?

El francés asintió.

—Pero no lo entiendo. ¿Qué hay en esa caja? ¿Por qué es mejor no mirar?

Andy Peters la contempló apreciativamente. Hilaria pensó que tenía un rostro muy agradable y franco que inspiraba confianza.

—Yo lo sé —le dijo—. Me lo ha dicho el piloto. Tal vez no sea muy bonito, pero supongo que es necesario —y agregó con toda tranquilidad—: Está llena de cadáveres.

—¡Cadáveres! —le miró asustada.

—¡Oh, no es que hayan muerto asesinados! Nada de eso. —Sonrió para tranquilizarla—. Han sido obtenidos de forma perfectamente legítima para la investigación... ya sabe... investigación médica.

—No lo comprendo.

—¡Ah! Comprenda, señora Betterton, aquí es donde termina el viaje.

—¿Termina?

—Sí. Colocarán esos cadáveres en el avión, luego el piloto arreglará las cosas para que nos marchemos de aquí, y a distancia veremos cómo se elevan las llamas en el avión. Otro avión que se estrella incendiándose, y *¡no hay supervivientes!*

CAPÍTULO IX

I

E L piloto se acercó a ellos.

—Ahora ya pueden marcharse —dijo—. Cuanto antes mejor. Hay mucho quehacer todavía y vamos considerablemente retrasados.

Hilaria, inconciente, dio un paso llevándose la mano a la garganta. El collar de perlas que llevaba se rompió bajo la presión de sus dedos. Recogió las perlas sueltas, guardándolas en su bolsillo.

Penetraron todos en la camioneta. Hilaria tomó asiento en un largo banco entre Peters y la señora Baker, a quien preguntó:

—¿De modo... que usted es lo que pudiéramos llamar el *enlace*, señora Baker?

—Exacto. Y a pesar de que no está bien que yo lo diga, soy la persona mejor dotada. A nadie le extraña encontrar a una americana que viaja continuamente de un lado a otro.

Seguía siendo sencilla y simpática, pero Hilaria creyó ver en ella una gran diferencia. Su convencionalismo superficial había desaparecido para dar paso a una mujer eficiente y tal vez despiadada.

—Va a causar sensación en los periódicos —dijo la señora Baker riendo divertida—. Me refiero a *usted*, querida. Dirán, le perseguía la mala suerte. Primero casi pierde la vida en el accidente de Casablanca y luego se mata en otra catástrofe.

Hilaria comprendió pronto lo inteligente del plan.

—¿Y estos otros? —murmuró—. ¿Son lo que dicen que son?

—Pues sí. El doctor Barron creo que es bacteriólogo. Ericson es un joven físico muy eminente. Peters, químico investigador. La señorita Needheim, por supuesto, no es ninguna monja, sino endocrinóloga. Yo, como usted ha dicho, sólo soy el enlace oficial. No pertenezco al grupo científico. —Volvió a reír y dijo—: Esa Hetherington ni siquiera lo sospechó.

—¿La señorita Hetherington... era... era...?

La señora Baker asintió.

—Si quiere saber mi opinión, creo que la seguía a usted. Desde que salió de Casablanca iba sólo a donde iba usted.

—Pero no vino con nosotros, a pesar de que se lo propuse.

—No hubiera estado en carácter. Hubiese demostrado demasiados deseos de volver a Marraquex habiendo estado allí hacía tan poco. No, debe haber enviado algún telegrama o mensaje telefónico para que alguien vaya a esperarla a Marraquex y la vigile cuando llegue. ¡Cuando llegue usted! Qué risa, ¿no le parece? ¡Mire! ¡Mire allí ahora! Ya se eleva.

Habían estado corriendo a toda velocidad por el desierto y la joven se inclinó para mirar a través de la estrecha ventanilla, viendo un gran resplandor que dejaban a sus espaldas. Luego se oyó una explosión. Peters volvió la cabeza riendo al tiempo que decía:

—¡Seis personas mueren en un accidente de aviación cuando se dirigían a Marraquex!

Hilaria dijo casi a pesar suyo:

—Asusta... bastante.

—¿El caminar hacia lo desconocido? —Era Peters quien había hablado ahora muy serio—. Sí, pero es el único medio. Vamos a dejar el pasado para dirigirnos hacia el futuro. —Su rostro se iluminó con súbito entusiasmo—. Hemos de apartarnos de todo lo malo y viejo. De la corrupción de gobernantes y de los hombres que aman la guerra. Vamos a un mundo nuevo... el mundo de la ciencia, lejos de la escoria y la desorientación.

Hilaria exhaló un profundo suspiro, exclamando deliberadamente:

—Ésas son las cosas que solía decir mi esposo.

—¿Su esposo? —Él la miró fijamente—. Vaya, ¿es Tom Betterton?

La joven asintió.

—Bueno, esto es grande. Nunca llegué a conocerle en los Estados Unidos, a pesar de que estuve a punto de tropezar con él más de una vez. La fisión ZE es uno de los descubrimientos más importantes de esta época... sí, desde luego, me descubro ante él. ¿Trabajó con el viejo Mannheim, verdad?

—Sí —dijo Hilaria.

—Me dijeron que se había casado con la hija de Mannheim, pero sin duda *usted* no es...

—Yo soy su segunda esposa —replicó la joven enrojeciendo un tanto—. Su... su... Elsa falleció en América.

—Ya recuerdo. Luego él fue a trabajar a Bretaña y luego desapareció. —Se echó a reír—. Salí del Congreso de París a lo desconocido —y agregó como si hubiera sacado una conclusión—: Cielos, no puede decirse que no lo organizan bien.

Hilaria estaba de acuerdo con él, y las excelencias de aquella organización iban atemorizando su corazón. Todos los planes, claves y señales que había preparado ahora serían inútiles, puesto que no podrían seguir su rastro. Las cosas fueron dispuestas de modo que todos los ocupantes del avión siniestrado fueran personas que tenían el mismo destino desconocido a donde les precedió Tomás Betterton. No dejaban rastro alguno. Nada, sólo un avión incendiado. Incluso encontrarían sus cuerpos carbonizados. ¿Era posible que Jessop y su organización adivinaran que ella, Hilaria, no era uno de esos cadáveres? Lo dudaba. El accidente había sido tan convincente, tan bien ideado...

Peters volvió a hablar con entusiasmo infantil. Para él no existían escrúpulos de conciencia, ni temores ni el pasado; sólo su ansiedad por seguir adelante.

—Quisiera saber adónde iremos desde aquí —dijo.

Hilaria también se preguntaba lo mismo, porque de eso dependían muchas cosas. Más pronto o más tarde *tendrían* que entrar en contacto con la humanidad, y si se realizaba alguna investigación, era posible que alguien observara que la descripción de las seis personas de la camioneta coincidía con la de los seis pasajeros que habían salido del avión aquella mañana. Volvióse a la señora Baker para preguntarle en el mismo tono excitado e infantil del joven americano:

—A dónde vamos... ¿qué cree usted que ocurrirá ahora?

—Ya lo verá —repuso la aludida, y por la satisfacción de su tono se adivinaba algo siniestro.

Siguieron adelante. Tras ellos seguía viéndose el resplandor de las llamas del avión, ahora con más claridad puesto que el sol iba ocultándose tras el horizonte. Oscurecía. No obstante, seguían su marcha por muy mal camino, puesto que evidentemente por allí no pasaba ninguna carretera principal. A ratos les parecía ir por desmontes y otros a campo través sin rumbo fijo.

Durante mucho tiempo Hilaria permaneció despierta mientras iba dando vueltas en su mente a todos los temores y recelos; pero al fin, con el traqueteo y las sacudidas, se fue agotando hasta quedar dormida. Fue un sueño intranquilo. Se despertaba a cada bache de la carretera. Por unos instantes se preguntaba dónde estaba, hasta que al cabo volvía a la realidad. Se despabilaba unos momentos, volvían a asaltarle sus tristes presagios, y una vez más inclinaba la cabeza y se dormía.

II

Se despertó de pronto cuando el coche se detuvo bruscamente. Peters la zarandeó por un brazo con amabilidad.

—Despierte —le dijo—. Parece que hemos llegado.

Todos se apearon cansados y maltrechos. Todavía era de noche y al parecer se habían detenido ante una casa rodeada de palmeras. A cierta distancia se distinguían algunas luces indicando la presencia de un pueblecito. Guiados por la luz de una linterna penetraron en la vivienda. Era una casa nativa en la que había un par de mujeres berberiscas que contemplaron con curiosidad a Hilaria y a la señora Baker, haciendo caso omiso de la monja.

Las tres mujeres fueron acompañadas a una reducida habitación en el piso de arriba en la que había tres colchones en el suelo y algunas ropas para cubrirse, pero ningún mueble.

—Estoy medio muerta —dijo la señora Baker—. El ir por estos caminos le deja a uno maltrecho.

—Las molestias no importan —dijo la monja en tono

duro y gutural. Su inglés era bueno y fluido, a pesar de lo malo de su pronunciación.

—Está viviendo su papel a la perfección, señora Needehim —le dijo la americana—. Ya la veo en el convento a las cuatro de la mañana y arrodillada sobre el duro suelo. Yo, en cambio, quisiera estar en la cama del Palacio Djamai en Fez. —Bostezó—. ¿Y usted cómo se encuentra, señora Betterton? Supongo que el traqueteo no le habrá ido muy bien a su cabeza.

—No, desde luego —dijo Hilaria.

—Ahora nos subirán algo de comer. Le daremos una aspirina y será mejor que duerma tranquilamente todo lo que pueda.

Se oyeron unos pasos en la escalera y voces femeninas. Luego las dos mujeres berberiscas entraron en la habitación llevando una bandeja con un gran plato de sémola y carne estofada. La dejaron en el suelo y al poco rato volvieron a entrar con una palangana de metal llena de agua y una toalla. Una de ellas acarició el abrigo de Hilaria, dirigiendo unas palabras a su compañera, que a su vez hizo lo propio con el de la señora Baker. Ninguna de las dos se fijó en la monja.

—¡Fuera! —exclamó la señora Baker haciéndolas salir—. ¡Fuera, fuera!

Era igual que si ahuyentase a las gallinas. Las mujeres se retiraron riendo.

—Qué criaturas más tontas —dijo la americana—, es difícil tener paciencia con ellas. Supongo que lo único que les interesa son los trapos y los niños.

—Es para lo único que sirven —replicó fräulein Needheim—. Pertenecen a una raza de esclavos. Son útiles para servir a sus superiores, pero nada más.

—¿No es usted algo dura? —exclamó Hilaria, irritada ante su actitud.

—No soporto el sentimentalismo. Hay unos pocos que gobiernan y muchos que obedecen.

—Pero, sin duda...

La señora Baker intervino con ademán autoritario.

—Me figuro que cada una de nosotras tiene ideas sobre estas cosas, y muy interesantes —dijo—. Pero ahora no es momento de discutirlas. Necesitamos descansar todo lo posible.

Llegó el té con menta. Hilaria se tomó una aspirina de muy buena gana, puesto que su dolor de cabeza era auténtico. Luego las tres mujeres se tendieron sobre los colchones, quedando dormidas.

Durmieron hasta bien entrada la mañana. No tenían que proseguir su viaje hasta la tarde, según les informó la señora Baker. De la habitación en que habían dormido partía una escalera exterior que daba a un tejado plano desde el que se divisaba algo del paisaje circundante. A poca distancia había un pueblecito, pero aquella casa estaba aislada en medio de un gran jardín de palmeras. Al despertar, la señora Baker les indicó tres montones de ropa que habían sido colocados junto a la puerta.

—En la próxima etapa seremos moras —explicó la americana—. Dejaremos nuestros trajes aquí.

De modo que el elegante traje de viaje de la señora Baker, el dos piezas de *tweed* de Hilaria y el hábito de la monja quedaron amontonados en el suelo, en tanto que tres nativas se sentaban en el terrado para charlar. Todo aquello resultaba extraño e irreal.

Hilaria dedicóse a estudiar más de cerca a la señorita Needheim, ahora que había abandonado el disfraz de religiosa. Era mucho más joven de lo que había supuesto. A lo más tendría treinta y tres o treinta y cuatro años. Su aspecto era pulcro, y su tez pálida, sus dedos cortos y su mirada fría, que de cuando en cuando se iluminaba con un entusiasmo fanático, repelía más que atraía. Hablaba con brusquedad y daba la impresión de que consideraba a Hilaria y a la señora Baker indignas de su compañía. Esta arrogancia a Hilaria le resultaba insultante. En cambio, la americana parecía no darse cuenta de nada. La joven inglesa sentía más simpatía por las dos mujeres que le habían servido los alimentos que por sus dos compañeras de viaje. A la joven alemana le era indiferente la impresión que pudiera causar. En sus ademanes se adivinaba cierta impaciencia, y era evidente que su deseo era continuar el viaje y no sentía el menor interés por sus dos acompañantes.

A Hilaria le costaba más trabajo definir la personalidad de la señora Baker. Al principio le pareció sencilla y natural comparada con la insensibilidad de la especialista alemana. Pero al verla a la luz del sol le intrigaba y repelía casi más que Helga Needheim. Sus modales eran de una perfección casi mecánica. Todos sus comentarios y observaciones eran naturales, y sobre cosas del vivir cotidiano, sin embargo, daba la impresión de una actriz repitiendo su papel quizá por centésima vez, mientras sus verdaderos pensamientos eran muy otros. ¿Quién era la señora Calvin Baker?, preguntábase Hilaria. ¿Por qué había ido a representar su papel con semejante perfección? ¿Sería otra fanática? ¿Soñaría con un mundo nuevo... que acabara con el sistema capitalista? ¿Habría abandonado su vida normal a causa de sus ideas políticas y aspiraciones? Era imposible saberlo.

Aquella tarde reemprendieron el viaje, esta vez en un coche de turismo. Todos habían adoptado las ropas de los nativos... los hombres con sus blancas *djellabas*, y las mujeres ocultando su rostro. Bastante apretujados estuvieron viajando toda la noche.

—¿Cómo se encuentra, señora Betterton?

Hilaria sonrió ante la pregunta de Andy Peters. El sol acababa de salir y se detuvieron para desayunar huevos, pan del país y té hecho sobre un infiernillo de petróleo.

—Pues como si estuviera soñando —repuso la joven.

—Sí, da esa sensación.

—¿Dónde estamos?

—¿Quién lo sabe? —Se encogió de hombros—. Sin duda sólo nuestra querida señora Baker.

—Es un país muy solitario.

—Sí, prácticamente desierto. Pero así debía ser, ¿no le parece?

—¿Quiere decir para no dejar rastro?

—Sí. Uno se da cuenta de que todo debe haber sido cuidadosamente planeado. Cada etapa de nuestro viaje es independiente de las otras. Se incendia un avión. Una vieja camioneta nos conduce a través de la noche. Si alguien la ha visto dirán que pertenece a una expedición arqueológica que realiza excavaciones por estos lugares. Al día siguiente parte un coche de turismo lleno de berberiscos.. es algo que se ve frecuentemente por las carreteras. Y en cuanto a la próxima etapa... —Se encogió de hombros—. ¿Quién puede saberlo?

—Pero ¿adónde vamos?

Andy Peters meneó la cabeza.

—Es inútil preguntarlo. Ya lo veremos.

El francés y Ericson se habían unido a ellos.

—Sí —les dijo—, ya lo veremos. Pero cuán cierto es que no podemos evitar el preguntar. Lo llevamos en nuestra sangre occidental. Nunca decimos: «Es suficiente por hoy.» Siempre pensamos en el mañana. Dejar el ayer detrás y partir hacia el mañana. Es lo que pedimos.

—Usted quiere que el mundo vaya más de prisa, doctor, ¿no es cierto? —le preguntó Peters.

—Hay tanto que alcanzar y la vida es tan corta... —repitió el doctor Barron—. Tendríamos que tener más tiempo, mucho más tiempo... —concluyó con calor.

Peters volvióse a la joven.

—¿Cuáles son las cuatro libertades de que hablan en su país? Verse libres de deseos, de temores...

El francés le interrumpió.

—Libres de los tontos —dijo amargamente—. ¡Eso es lo que yo quiero! Eso es lo que necesita mi trabajo. ¡Quiero verme libre de incesantes economías, de todas las molestias y restricciones que dificultan mi trabajo!

—Es usted bacteriólogo, ¿verdad, doctor Barron?

—Sí. Y no tiene usted idea, amigo mío, de lo fascinante que es este estudio. Pero precisa paciencia, infinita paciencia, experimentaciones repetidas... y *dinero*... mucho dinero. Se necesitan equipos, ayudantes y buenos materiales. Con todo eso, ¿quién no alcanza el éxito?

—¿La felicidad? —preguntó Hilaria.

Él le dedicó una rápida sonrisa, volviendo a convertirse en un ser humano.

—¡Ah!, usted es una mujer, madame. Y las mujeres sueñan con la felicidad.

—¿Y rara vez la alcanzan? —dijo la joven.

Él se encogió de hombros.

—Es posible.

—La felicidad individual no importa —dijo Peters en tono grave—, debe haber felicidad para todos, la hermandad del espíritu. Los obreros, libres y unidos, dueños de los medios de producción, libres de los hombres insaciables y codiciosos que se quedaron todo. La ciencia es para *todos*, y no debe ser guardada celosamente por este poder o el otro.

—¡Cierto! —dijo Ericson en tono apreciativo—. Tiene usted razón. Los científicos deben ser los amos, controlar y regir. Ellos y sólo ellos son superhombres. Y únicamente los superhombres importan. Los esclavos deben ser bien tratados, pero *son* esclavos.

Hilaria se apartó un poco del grupo y a los pocos minutos la seguía Peters.

—Parece usted un poco asustada —le dijo en tono festivo.

—Creo que lo estoy —rió—. Claro que lo que ha dicho el doctor Barron es bien cierto. Sólo soy una mujer. No soy científica, no me dedico a investigar, ni a la cirugía, ni a la bacteriología. Supongo que no poseo una gran inteligencia. Como ha dicho el doctor Barron, busco la felicidad como cualquier otra mujer.

—¿Y qué tiene eso de malo? —quiso saber el americano.

—Bueno, tal vez me encuentre algo desplazada entre ustedes. Comprenda, sólo soy una mujer que va a reunirse con su esposo.

—Perfectamente —replicó Peters—. Usted representa lo fundamental.

—Es usted muy amable al considerarlo así.

—Bueno, yo lo creo así —y agregó bajando la voz—: ¿Quiere mucho a su esposo?

—¿Estaría aquí de no ser así?

—Supongo que no. ¿Comparte sus opiniones? Tengo entendido que es comunista.

Hilaria evitó una respuesta directa.

Hablando de cuestiones políticas —le dijo—, ¿no le parece curioso nuestro grupo?

—¿A qué se refiere?

—Pues que a pesar de que todos nos dirigimos al mismo destino, las ideas de nuestros compañeros de viaje no son muy parecidas.

—Pues no —repuso Peters, pensativo—. No lo había pensado, pero creo que tiene usted razón.

—No creo que el doctor Barron tenga la menor idea

política —continuó Hilaria—. Sólo quiere dinero para sus experimentos. Helga Needheim habla como una fascista, no como comunista. Y Ericson...

—¿Qué le parece Ericson?

—Me da cierto miedo... tiene una mentalidad peligrosa. ¡Es como esos científicos locos que salen en las películas!

—Y yo creo en la Humanidad de todos los Hombres, y usted es una esposa amante y nuestra señora Calvin Baker..., ¿dónde la sitúa usted?

—No lo sé. Es la que más me cuesta clasificar.

—¡Oh!, yo no diría eso. A mí me parece muy sencillo.

—¿Qué quiere decir?

—Yo diría que lo único que le importa es el dinero. En esta rueda sólo es un diente pegado.

—También me asusta —dijo Hilaria.

—¿Por qué? ¿Por qué diablos ha de *asustarla*? Ella no siente la locura de la ciencia.

—Me asusta porque es tan corriente... comprenda, como cualquier otra persona. Y no obstante, está metida en todo esto.

Peters dijo muy serio.

—El partido es realista, ya sabe, y utiliza a los mejores hombres y mujeres.

—Pero ¿una persona que sólo ambiciona dinero es la persona mejor? ¿No desertará para pasarse al lado contrario?

—Eso sería correr un gran riesgo —repuso Peters—. Y la señora Calvin Baker es una mujer muy lista, y no creo que quiera correr riesgos.

Hilaria estremecióse involuntariamente.

—¿Tiene frío?

—Sí. Hace un poco de frío.

—Andemos un poco.

Pasearon arriba y abajo, y de pronto Peters se detuvo para recoger algo.

—Mire. Va perdiendo cosas.

—¡Oh, sí! —exclamó Hilaria tomándola de su mano—. Es una perla de mi collar. Se me rompió el otro día... no, ayer. Me parece que han pasado siglos desde entonces.

—Supongo que no serán auténticas.

Hilaria sonrió.

—No, claro que no. Son de bisutería.

Peters sacó una pitillera de su bolsillo.

—Bisutería —exclamó—. ¡Qué expresión!

Le ofreció un cigarrillo.

—Aquí... suena mal. —Cogió un pitillo—. Qué pitillera más curiosa. Y cómo pesa.

—Es porque está hecha de plomo. Es un recuerdo de la guerra... hecha con un trozo de bomba que no me mató.

—Entonces... ¿estuvo en la guerra?

—Era uno de esos niños que siempre juegan con las cosas para ver si estallan. No hablemos de guerras. Concentrémonos en el mañana.

—¿Adónde vamos? —preguntó Hilaria—. Nadie me ha dicho nada. ¿Es que...?

Él la detuvo.

—De nada sirve preguntar —le dijo—. Se va a donde a uno le dicen y se hace lo que se ordena.

Con súbito enardecimiento, Hilaria exclamó:

—¿Le agrada verse acosado, que le den órdenes sin poder hacer su voluntad?

—Estoy dispuesto a aceptarlo si es necesario. Y lo es. Tenemos que tener un mundo en Paz, Disciplina y Orden y todo perfecto.

—¿Y eso es posible? ¿Puede conseguirse?

—Cualquier cosa es mejor que esta confusión en que vivimos. ¿No está de acuerdo conmigo?

112 — Agatha Christie

Por un breve instante, llevada de su fatiga, de la soledad y la extraña belleza de la luz de aquel amanecer, casi lo negó apasionadamente.

Estuvo tentada a decir:

—¿Por qué desprecia el mundo en que vivimos? Hay en él buenas personas. ¿No es mejor un mundo en confusión, pero amable e individualista, que un mundo impuesto y ordenado, un mundo que tal vez esté bien hoy, pero que será un error mañana? Prefiero un mundo amable habitado por seres humanos, aunque tengan sus defectos, que un mundo de muñecos mecánicos y superiores que digan adiós a la piedad, comprensión y simpatía.

Pero se contuvo a tiempo y en cambio dijo con estudiado entusiasmo:

—Cuánta razón tiene. Estaba cansada. Debemos obedecer y seguir adelante.

Él sonrió.

—Eso está mejor.

Capítulo X

A QUEL viaje parecía un sueño: cada día más. Hilaria pensaba que era como si hubiera estado viajando toda su vida con aquellos cinco compañeros tan distintos. Habían saltado del mundo civilizado al vacío. En cierto sentido aquel viaje no podía llamarse huida. Todos eran agentes libres; es decir, libres de ir adonde quisieran. Por lo que ella sabía no habían cometido ningún crimen, ni estaban reclamados por la policía. No obstante, se habían tomado toda clase de precauciones, para borrar su rastro. A menudo se preguntaban para qué, puesto que no eran fugitivos. Era como si fuera el medio de dejar de ser ellos mismos y convertirse en otras personas.

Aquello, desde luego, en su caso era bien cierto. Ella salió de Inglaterra como Hilaria Craven, y se había convertido en Olivia Betterton, y tal vez su extraña sensación de irrealidad tuviera algo que ver con esto. Cada día los *slogans* políticos acudían a sus labios con mayor facilidad. Se iba volviendo seria, y eso también lo atribuía a la presencia de sus compañeros.

Ahora les temía. Nunca había tratado íntimamente a ningún genio. Aquellas personas eran eminencias y tenían ese algo anormal que intimida a los seres vulgares. Los cinco eran distintos, y no obstante, cada uno de ellos vivía intensamente su ideal, y poseía esa fuerza de voluntad que resulta impresionante. Ignoraba si sería una cualidad interna, o sólo intensidad aparente, pero cada uno de ellos era un idealista apasionado. Para el doctor Barron la vida consistía únicamente en un deseo intenso de estar una vez más en su laboratorio, para poder calcular, experimentar y trabajar sin limitación de medios y dinero. ¿Trabajar para qué? Dudaba que se hubiera hecho siquiera esa pregunta. Alguna vez le había hablado de los poderes destructivos capaces de arrastrar un vasto continente y que podían contenerse en un pequeño frasco. Ella le había dicho:

—¿Usted podría hacer eso? ¿De veras lo haría?

Y él contestó mirándola con ligera sorpresa:

—Sí, sí, desde luego, si fuera necesario. Sería interesantísimo ver el curso exacto... el desarrollo. —Y agregó con un suspiro—: Queda tanto por conocer, tanto por descubrir... tanto por...

Por un momento, Hilaria comprendió su deseo de conocer lo que podía acabar con la vida de tantos millones de seres humanos. Era un punto de vista, y en cierto modo nada indigno. A Helga Needheim la comprendía menos, y su arrogancia y soberbia le eran repelentes. Peters le agradaba, aunque de cuando en cuando sentíase atemorizada por el brillo fanático de sus ojos y en cierta ocasión le dijo:

—Usted no desea crear un mundo nuevo, sino destruir el viejo.

—Se equivoca, Olivia. Qué cosas dice.

—No, no estoy equivocada. En usted hay odio. Lo siento. Odios. Y el deseo de destruir.

Ericson era el más complejo de todos ellos... un soñador, menos práctico que el francés, menos lleno de pasión destructiva que el americano, y con el fanático idealismo de los escandinavos.

—Debemos conquistar el mundo —le dijo—. Entonces podremos continuar.

—¿Podremos? —preguntó ella.

—Sí —repuso—, nosotros, los pocos que contamos. Los que tenemos cerebro. Eso es todo lo que únicamente importa.

Hilaria pensaba, ¿adónde nos dirigimos? ¿A qué conduce todo esto? Esta gente está loca, pero cada uno tiene una locura distinta. Es como si todos tuvieran distintas metas, distintos espejismos. Sí, aquélla era la palabra. *Espejismos.* Y pasó a contemplar a la señora Calvin Baker. En ella no había fanatismo, ni odio, sueños, arrogancia o aspiraciones. Nada que llamara la atención. Era una mujer sin corazón ni conciencia. Sólo un instrumento eficiente en manos de una gran fuerza desconocida.

El tercer día llegaba a su término. Habían arribado a una pequeña población e hicieron alto en un hotel. Allí volvieron a ponerse ropas europeas. Aquella noche Hilaria durmió en una pequeña habitación, desnuda y encalada, bastante parecida a una celda. Al amanecer le despertó a voces la señora Baker.

—Vamos a partir en seguida —le anunció—. El avión está ya dispuesto.

—¿El avión?

—Pues, sí, querida. Volvemos a viajar como seres civilizados. Gracias a Dios.

Llegaron al aeropuerto en automóvil al cabo de una hora. Parecía un aeródromo del ejército. El piloto era francés. Volaron durante varias horas por encima de las montañas. Desde aquella altura Hilaria pensó que todos los lugares se parecían. Montañas, valles, carreteras, casas. A menos que fuese un verdadero serial, todo era semejante visto desde el aire. Lo único que podía decirse era que la población parecía más densa en unos lugares que en otros.

Y la mitad del tiempo se viajaba por encima de las nubes.

A primera hora de la tarde comenzaron a perder altura. Se encontraban sobre un país montañoso, pero se iban acercando a un llano en el que se veían un aeródromo no muy bien marcado y un edificio blanco. Hicieron un aterrizaje perfecto.

La señora Baker abrió la marcha hacia el edificio junto al que se veían dos automóviles magníficos con sus chóferes respectivos. Sin duda debía tratarse de un aeródromo particular, puesto que no había recepción oficial.

—El viaje ha terminado —les anunció la señora Baker en tono jovial—. Ahora entraremos a lavarnos y cepillarnos y luego subiremos a los coches.

—¿Que ha terminado el viaje? —Hilaria la miraba asombrada—. Pero si no... si no hemos cruzado el mar.

—¿Es eso lo que esperaba?

La señora Baker pareció divertida, e Hilaria sumamente intrigada apresuróse a decir atropelladamente:

—Pues, sí. Sí, eso esperaba. Pensé... —Se detuvo.

La americana meneó la cabeza.

—Es lo que imaginaban muchas personas. Se han dicho muchas tonterías sobre el telón de acero, pero lo que yo digo es que en cualquier parte puede haber un telón de acero. Y la gente no lo piensa.

Dos criadas árabes les recibieron. Después de lavarse y refrescarse tomaron unos bocadillos, café y dulces.

Luego la señora Baker miró a su reloj.

—Bueno, hasta la vista, amigos —les dijo—. Aquí es donde yo les dejo.

—¿Regresa usted a Marruecos? —preguntó Hilaria sorprendida.

—No sería muy apropiado considerando que me creen muerta en la catástrofe del avión. No. Esta vez la ruta será distinta.

—Pero, no obstante, es posible que alguien la reconozca —dijo Hilaria—. Me refiero a alguien que la haya visto en los hoteles de Casablanca o Fez.

—¡Ah! —dijo la americana—. Pero pueden equivocarse. Ahora tengo otro pasaporte, y diré que una hermana mía, una tal señora Calvin Baker, perdió la vida en ese accidente. Se supone que mi hermana y yo éramos muy parecidas. —Y agregó—: Y para las personas que tropiezan con una en los hoteles, una viajera americana siempre se parece a otra.

Sí, pensó la muchacha, aquello era bastante cierto; reunía todas las características sobresalientes de las turistas americanas. Pulcritud, elegancia, cabellos cuidadosamente azulados y peinados, y un modo de hablar altisonante y monótono. Sus otras cualidades quedaban disimuladas o no existían. La señora Calvin Baker presentaba al mundo y a sus compañeros una *fachada*, pero lo que se escondía tras ella no era fácil de adivinar. Era como si hubiese anulado deliberadamente esos toques individualistas que distinguen una personalidad de otra.

Hilaria sintióse inclinada a decírselo. Ella y la señora Baker se encontraban algo apartadas de los demás.

—Una no sabe en absoluto cómo es usted en realidad.

—¿Por qué iba a saberlo? —replicó la americana.

—Sí, es cierto, y no obstante debiera saberlo. Hemos viajado juntas con bastante intimidad y me parece extraño el no saber nada de usted. Me refiero a nada esencial... acerca de lo que piensa o siente, de lo que le gusta y disgusta, y lo que tiene o no importancia para usted.

—Es usted demasiado curiosa, querida —le dijo la señora Baker—. Si quiere aceptar un consejo, modere esa tendencia.

—Ni siquiera sé de que parte de los Estados Unidos viene.

—Eso tampoco importa. He terminado con mi país. Existen razones por las que no podré regresar nunca allí. Y si puedo actuar en contra de mi patria, lo celebraré.

Por un segundo el rencor dominó su expresión y el tono de su voz. Luego volvió a ser la alegre turista de siempre.

—Bien, hasta la vista, señora Betterton. Espero que sea muy feliz al reunirse con su esposo.

Hilaria dijo con impotencia:

—Ni siquiera sé dónde estoy... me refiero en qué parte del mundo.

—¡Oh!, eso es muy sencillo. Ahora no es necesario ocultarlo. En un punto remoto del Gran Atlas. Es decir, bastante cerca.

La señora Baker fue a despedirse de los demás y con un saludo final para todos salió de nuevo al campo de aviación. El aparato había repostado combustible y el piloto ya la esperaba. Un estremecimiento recorrió la espina dorsal de Hilaria. Con ella se iba el último lazo de unión con el mundo exterior. Peters, de pie junto a ella, pareció adivinar su temor.

—El país de «no volverás» —dijo suavemente—. Me figuro que éste es el nuestro.

El doctor Barron intervino.

—¿Se siente todavía con valor, madame, o prefiere correr tras su amiga americana y subir con ella al avión para regresar... para regresar al mundo que ha abandonado?

—¿Podría volver si lo deseara? —preguntó Hilaria.

El francés se encogió de hombros.

—Quién sabe.

—¿Quiere que la llame? —le dijo Andy Peters.

—Claro que no —replicó Hilaria, tajante.

Helga Needheim tuvo que decir con su tono antipático:

—Aquí no hay un lugar para las mujeres débiles.

—Ella no lo es —repuso el doctor Barron—, pero hace las preguntas que haría cualquier mujer inteligente. —Y acentuó esta última palabra como si aludiera a la alemana. Ella, sin embargo, no se afectó por su insinuación. Despreciaba a todos los franceses, y estaba convencida y satisfecha de su propio valor. Ericson dijo con su voz aguda y nerviosa:

—Cuando al fin se ha alcanzado la libertad, ¿cómo puede pensar en regresar?

—Pero si no es posible regresar, o poder escoger entre seguir adelante o regresar, entonces ya no hay libertad —exclamó Hilaria.

Uno de los criados, acercándose a ellos, dijo:

—Si tienen la bondad, los coches están ya dispuestos.

Salieron al exterior. Dos *Cadillac* aguardaban con sus chóferes uniformados. Hilaria indicó su deseo de sentarse delante, explicando que detrás se mareaba a veces. Pareció que todos los aceptaban como cosa natural, y durante el trayecto Hilaria pudo cruzar algunas palabras con el conductor acerca del tiempo, lo magnífico del automóvil, etc., ya que hablaba el francés bastante bien. El chófer respondió con facilidad y de un modo natural.

—¿Cuánto tiempo se tarda? —le preguntó.

—¿Desde el aeródromo al hospital? Tal vez unas dos horas, madame.

Sus palabras la sorprendieron desagradablemente. Había observado, sin darle mucha importancia, que Helga Needheim se había cambiado al llegar y ahora iba vestida de enfermera. Esto coincidía.

—Hábleme del hospital —dijo al chófer, demostrando gran interés.

Su respuesta fue entusiasta.

—¡Ah!, madme, es magnífico. El equipo es el más moderno del mundo. Vienen muchos médicos a visitarlo y todos se van elogiándolo. En él se hace un gran bien a la humanidad.

—Tiene que ser así— dijo Hilaria—. Sí, sí, tiene que serlo.

—Esos miserables eran enviados en la antigüedad a perecer en una isla desierta. Pero el nuevo tratamiento del doctor Kolini cura un porcentaje muy elevado, incluso a los que se encuentran en el período ya más avanzado de la enfermedad.

—Parece un lugar muy solitario para un hospital —dijo Hilaria.

—¡Ah, madame!, pero tiene que ser así dadas las circunstancias. Las autoridades querrían quedarse con él. Pero aquí hay un aire muy puro... maravilloso. Mire, madame, ahora puede ver adónde nos dirigimos.

Se estaban acercando a las estribaciones de un macizo montañoso y junto a él, apoyado contra su costado, se alzaba un edificio largo, de una blancura resplandeciente de una maciza arquitectura.

—Qué proeza levantar un edificio semejante en este sitio —dijo el chófer—. La cantidad de dinero empleado debe haber sido fabulosa. Debemos mucho a los filántropos ricos de este mundo, madame. No son como los gobernantes, que siempre hacen las cosas con la mayor economía posible. Nuestro jefe es uno de los hombres más ricos del mundo. Y aquí ciertamente ha construido una obra magnífica para aliviar los sufrimientos de la humanidad.

Fueron bajando por un camino serpenteante. Al fin se detuvieron ante una gran verja de hierro.

—Deben apearse aquí, Madame. No está permitido que el coche pase de esta puerta. Los garajes están a un kilómetro de distancia.

Los viajeros bajaron del automóvil. Había una campanilla para llamar pero antes de que lo hicieran, la verja se abrió lentamente. Una figura vestida de blanco, de rostro tostado y sonriente se inclinó al franquearles la entrada. Cruzaron la puerta; a un lado y tras un alto enrejado había un gran patio por el que paseaban varios hombres. Uno se ellos se volvió para mirar a los recién llegados, e Hilaria lanzó un grito de espanto.

—Pero si son *leprosos* —exclamó—. ¡Leprosos!

Y un estremecimiento de horror recorrió todo su cuerpo.

CAPÍTULO XI

L A puerta de la Colonia de Leprosos se cerró tras los viajeros con un sonido metálico que resonó en el interior de Hilaria como un terrible acorde final. El que entra aquí *abandona toda esperanza*, parecía decir. Aquél era el fin... el verdadero final de todo. Allí no había medio alguno de volverse atrás.

Se encontraba sola, sin amigos y dentro de pocos minutos tendría que soportar que la descubrieran y el fracaso. Claro que eso lo sabía ya de antemano, pero cierto indefinible optimismo le hizo creer que no podía dejar de existir así como así. En Casablanca le había dicho a Jessop: «¿Y cuándo me encuentre en presencia de Tom Betterton?» Y él le había contestado que entonces sería el momento de mayor peligro, y agregó que esperaba encontrarse en posición de poder prestarle ayuda, pero aquella esperanza, Hilaria no podía por menos de comprenderlo así, había fallado.

Si «la señorita Hetherington» era el agente en quien Jessop confiaba, habría tenido que confesar su fracaso en Marraquex. Pero, de todas maneras, ¿qué podría haber hecho la señorita Hetherington?

La partida de viajeros había llegado al lugar de «no volverás». Hilaria había jugado con la muerte y perdido y ahora se daba cuenta de que el diagnóstico de Jessop fue correcto. Ya no deseaba morir; sino seguir viviendo. El amor a la vida había vuelto a ella con toda su fuerza. Ahora podía pensar en Nigel y en la tumba de Brenda con tristeza y nostalgia, pero no con la desesperación que la impulsara a quitarse la vida. Pensó:

«Vuelvo a vivir, sana... entera... y ahora me encuentro como un ratón que ha caído en la ratonera. Si hubiera algún modo de escapar...»

No es que no hubiese pensado en ello hasta ahora. Muy al contrario, pero le parecía que una vez frente a Betterton no *tendría* escape posible.

Betterton exclamaría:

—Pero ésta no es mi mujer...

Y entonces... todos la mirarían... dándose cuenta de que era una espía entre ellos.

Porque..., ¿qué otra solución podría haber? Supongamos que fuera ella la que hablara primero. Supongamos que exclamara antes de que Tom Betterton pudiera pronunciar palabra: ¿Quién es usted? ¡*Usted* no es mi marido!» Si pudiera simular lo bastante bien, su indignación, sorpresa y horror..., ¿conseguiría hacerles entrar en dudas? ¿Hacerles dudar de que Betterton fuese Betterton... o algún otro científico enviado para sustituirle? En otras palabras... un espía. Pero si Betterton era un traidor, un hombre deseoso de vender los secretos de su país, ¿podría haber algo... demasiado malo para él? Qué difícil era, pensó, saber lo que era lealtad... o juzgar a las personas o cosas... De todas formas valía la pena probarlo... despertar sus dudas.

Con un esfuerzo volvió a fijarse en lo que le rodeaba. Sus pensamientos habían estado volando con el frenesí de un gato enjaulado, pero durante aquel tiempo su consciente siguió representando su papel.

La pequeña embajada del mundo exterior fue recibida por un hombre altísimo y bien parecido... un políglota, al parecer, puesto que dedicó algunas palabras a cada uno de ellos en su propia lengua.

—*Enchanté de faire votre connaissance, mon cher docteur* —murmuró ante el doctor Barron y luego dirigióse a ella:

—¡Ah, señora Betterton!, nos complace darle la bienvenida... Ha sido un viaje largo y desconcertante, ¿verdad? Su esposo se encuentra perfectamente y, desde luego, aguardándola con impaciencia.

Acompañó sus palabras con una discreta sonrisa que no dulcificó sus fríos ojos claros.

—Debe estar deseando verle —agregó.

Hilaria sintió que se le iba la cabeza... las personas que la rodeaban se alejaban y aproximaban como las olas del mar. Andy Peters, que se encontraba a su lado, la sostuvo.

—Me figuro que no se habrá enterado —dijo a su anfitrión—. La señora Betterton sufrió una fuerte conmoción cerebral en un lamentable accidente ocurrido en Casablanca, y este viaje no le ha hecho ningún bien, así como tampoco la excitación y ansiedad de ver a su esposo. Yo creo que debiera acostarse en seguida y descansar a oscuras.

Hilaria sintió la amabilidad de su voz y su apoyo. Volvió a tambalearse. Sería tan sencillo, sencillísimo, dejar doblar las rodillas y caer al suelo... fingiéndose inconsciente... o semiinconsciente. Dejar que la tendieran en una habitación a oscuras... retardar el momento de ser descubierta... sólo un poco más. Pero Betterton iría a verla... cualquier marido lo haría... e inclinándose sobre la cama en la penumbra... y al primer murmullo de su voz, o cuando sus ojos se hubieran acostumbrado a la oscuridad y distinguiera su perfil, comprendería que ella no era Olivia Betterton.

Hilaria recobró el valor y alzó la cabeza. El color acudía de nuevo a sus mejillas.

Si aquél era el fin, que fuese un fin intrépido. Iría a ver a Betterton y cuando la rechazara intentaría la última farsa, y le diría confiada y sin temor:

—No, claro que no soy su esposa. Su esposa... lo siento muchísimo... es terrible tener que decírselo... ha muerto. Yo estaba en el hospital cuando murió y le prometí llegar hasta usted como fuese y darle su último mensaje. Yo... comprenda... simpatizo con sus ideas... con todo lo que hacen ustedes. Quiero ayudarles.

Todo muy endeble... mucho... Y tendría que explicar tantas cosas... el pasaporte falsificado... y la carta de crédito... Sí, pero hay personas que triunfan con las mentiras más audaces... con tal que mientan con el aplomo necesario... y posean personalidad par ello. Por lo menos podía morir luchando.

Se irguió apartándose sin brusquedad del apoyo que le prestaba Peters.

—¡Oh, no!, debo ver a Tom —dijo—. Debo verle en seguida... ahora mismo..., por favor.

El gigante pareció comprensivo. (A pesar de que sus ojos seguían siendo fríos e impasibles.)

—Claro, claro, señora Betterton. La comprendo perfectamente. ¡Ah!, aquí está la señorita Jennson.

Una joven delgada y con lentes se unió a ellos.

—Señorita Jennson, le presento a la señora Betterton, *Fräulein* Needheim, el doctor Barron, el señor Peters y el doctor Ericson. ¿Quiere acompañarles al Registro? Deles algo de beber. Yo me reuniré con ustedes dentro de unos minutos... sólo los necesarios para acompañar a la señora Betterton junto a su esposo. No tardaré en volver con ustedes.

Y volviéndose de nuevo a Hilaria le dijo:

—Sígame, señora Betterton.

Echó a andar y ella le siguió. Antes de doblar un recodo del pasillo dirigió una última mirada hacia atrás. Andy Peters seguía mirándola con expresión ligeramente preocupada... y por un momento pensó que iba a acompañarla. «Debe haber comprendido —pensó Hilaria— que en *mí* hay algo extraño, aunque no sabe lo que es.»

Y un escalofrío acompañó su último pensamiento:

—Tal vez sea la última vez que lo veo...

Y por eso al doblar la esquina tras su guía, alzó la mano para decirle adiós...

El hombretón charlaba alegremente.

—Por aquí, señora Betterton. Al principio encontrará nuestros edificios algo desconcertantes, con tantos pasillos y todos tan parecidos.

Era como una pesadilla... interminables corredores blancos por los que caminaba sin descanso y sin encontrar nunca la salida...

Le dijo:

—No imaginaba que fuese... un hospital.

—No, no, desde luego. Usted no podía imaginarse nada, ¿no es cierto?

En su voz había un ligero matiz de malvado regocijo.

—Usted ha tenido, como dicen, que «volar a ciegas». A propósito, mi nombre es Van Heidem, Paul van Heidem.

—Es todo un poco extraño... y bastante aterrador —dijo la joven—. Esos leprosos...

—Sí, sí, desde luego. Pintorescos... y por lo general tan inesperados. Trastornan a los recién llegados, pero ya se acostumbrará a ellos... ¡Oh, sí!, ya se acostumbrará con el tiempo.

Soltó una risita.

—Siempre lo he considerado muy divertido.

De pronto se detuvo.

—Suba ese tramo de escalones... sin apresurarse. Con calma. Casi hemos llegado.

Casi había llegado. Qué cerca estaba... ¿Cuántos escalones faltaban para morir? Arriba..., arriba... eran unos escalones muy altos, mucho más que los europeos. Y luego enfilaron otro de los higiénicos pasillos hasta que Van Heidem se detuvo ante una puerta y la abrió.

—Ah, Betterton... aquí estamos por fin. ¡Su esposa!

Y se hizo a un lado con una ligera inclinación de cabeza.

Hilaria penetró en la habitación sin vacilar. «No retrocedas. No tiembles. Alza la cabeza y avanza hacia tu destino.»

De espaldas a la ventana se encontraba un hombre extraordinariamente apuesto. Ella le contempló con un sentimiento casi de sorpresa. Aquélla no era ni mucho menos, la idea que ella tenía de Tom Betterton. La fotografía que le habían enseñado de él no se parecía lo más mínimo...

Fue su sorpresa lo que la decidió. Pondría en práctica su primera tentativa desesperada.

Y echándose rápidamente hacia atrás exclamó con voz sorprendida... rota:

—Pero... éste no es Tom. Éste no es mi marido...

Lo hizo muy bien. Estuvo dramática, pero sin exagerar la nota. Sus ojos buscaron los de Van Heidem interrogándole.

Y entonces Tom Betterton echóse a reír... tranquilo, divertido, casi triunfante.

—Bastante bien, ¿eh, Van Heidem? —dijo—. ¡Ni siquiera mi mujer me conoce!

Y en cuatro zancadas fue hasta ella para estrecharla entre sus brazos.

—Olivia, querida. Claro que me conoces. Soy Tom, aunque no tengo la misma cara de antes.

Acercó su rostro al suyo y musitó junto a su oído en un susurro apenas perceptible:

—¡Querida! ¡Parece que han pasado años... y años! Pero aquí estás por fin!

La apartó un momento para volverla a abrazar.

Sentía la presión de sus dedos en la espalda, advirtiéndola, transmitiéndole un mensaje urgente.

Sólo al cabo de unos instantes la soltó, apartándola para contemplar su rostro.

—Todavía no puedo creerlo —le dijo con risa nerviosa—. No obstante ahora sabes que soy yo, ¿verdad?

Sus ojos, fijos en los suyos, seguían transmitiéndole su mensaje.

Ella no comprendía nada... no podía comprenderlo, pero era un milagro y ella supo seguir representando su papel.

—¡Tom! —dijo con tal emoción en su voz que convenció a sus oyentes—. ¡Oh, Tom...! Pero, ¿qué...?

—¡Cirugía estética! Está aquí el doctor Hertz, de Viena, y es una maravilla. No me digas que echas de menos mi vieja y horrible nariz.

Tom volvió a besarla, ligeramente esta vez, y luego volvióse a Van Heidem con una risa de disculpa.

—Perdone las expansiones, Van —le dijo.

—Pero es muy natural —el alemán sonrió con benevolencia.

—Ha pasado tanto tiempo —dijo Hilaria—, y yo... —Se tambaleó un poco—. Yo... por favor, ¿puedo sentarme?

Tom apresuróse a acomodarla en una silla.

—Por supuesto, querida. Estás agotada. Ese terrible viaje y el accidente del avión. Dios mío, ¡escapaste de milagro!

(De modo que estaban bien comunicados. Sabían todo lo del accidente.)

—Me ha dejado una cabeza como una devanadera —disculpóse Hilaria riendo—. Me olvido de las cosas, las confundo, y tengo unos dolores de cabeza terribles. Y luego, encontrarte convertido en un desconocido. Estoy algo confundida, querido. ¡Espero no ser un estorbo para ti!

—¿Tú un estorbo? Nunca. Tendrías que descansar un poco, eso es todo. Hay mucho tiempo... en este mundo de aquí.

Van Heidem dirigióse a la puerta.

—Ahora les dejo. Dentro de un rato, ¿querrá llevar a su esposa al Registro, Betterton? Por el momento preferirán estar solos.

Y salió cerrando la puerta tras sí.

Inmediatamente Betterton cayó de rodillas junto a Hilaria y escondió su rostro en su hombro.

—¡Querida, querida! —le dijo.

«—Siga fingiendo. Puede haber un micrófono en alguna parte... nunca se sabe.»

Claro que eso era cierto. Nunca se sabe. En aquella atmósfera podía percibir... temor, intranquilidad... y peligro... siempre peligro.

—¡Es tan maravilloso volver a verte! —dijo con voz apagada—. Y no obstante, ¿sabes?, es como un sueño... no me parece real. ¿También tú sientes lo mismo?

—Sí, eso es lo que parece... un sueño... Estar aquí... contigo... al fin. No puedo creer todavía que sea verdad, Tom.

Había colocado las manos sobre sus hombros y le miraba con una ligera sonrisa. (También podía haber una mirilla además de un micrófono.)

Con calma y fríamente pudo aceptar lo que tenía ante su vista: un hombre nervioso y bien parecido, de unos treinta y tantos años que estaba terriblemente asustado... un hombre casi al término de sus fuerzas... Un hombre que tal vez hubiera llegado allí lleno de esperanzas y se había convertido en... aquello.

Ahora que había pasado con éxito el primer paso difícil, Hilaria sintióse estimulada para seguir representando aquella comedia. Debía *ser* Olivia Betterton. Actuar como ella hubiera actuado, y sentir lo que ella debiera haber sentido. Y la vida era tan irreal que le parecía naturalísimo. Una joven llamada Hilaria Craven había muerto en un accidente de aviación. Desde ahora ya para siempre ni siquiera la recordaría.

Y en cambio se esforzó por recordar las lecciones que desde el momento en que se comprometió, estudiara con tanta asiduidad.

—Parece que han pasado siglos desde cuando estábamos en Firbank —le dijo—. «Bigotes», ¿te acuerdas de «Bigotes» Tuvo gatitos... casi en seguida de que tú te marcharas. Hay tantas cosas tontas... de esas que ocurren a diario que ni siquiera sabes. Eso me resulta tan extraño...

—Lo sé. Es como romper con la antigua vida y comenzar otra nueva.

—¿Y... qué tal por aquí? ¿Eres feliz?

Una pregunta necesaria que toda mujer haría a su marido.

Es maravilloso. —Tom Betterton enderezó sus hombros y echó la cabeza hacia atrás. Sus ojos, asustados y tristes, contrastaron con su rostro sonriente—. Tenemos todas las facilidades. No se repara en gastos. Y las condiciones son perfectas para el trabajo. ¡Y la organización! Es increíble.

—¡Oh, estoy segura de ello! Mi viaje..., ¿viniste tú del mismo modo?

—No se habla de esas cosas. Oh, no es que te riña, querida, pero... ¿sabes?, tienes que aprenderlo todo.

—Pero ¿y los leprosos? ¿Es realmente una leprosería?

—Oh, sí. Desde luego. Hay un gran equipo médico realizando muy buenos trabajos de investigación sobre esta enfermedad. Pero no es eso todo. No necesitas preocuparte. Es sólo... un enmascaramiento inteligente.

—Ya —Hilaria miró a su alrededor—. ¿Es éste tu departamento?

—Sí. Ésta es la salita, allí está el cuarto de baño, y luego el dormitorio. Vamos, te lo enseñaré.

Hilaria se levantó y atravesando un cuarto de baño muy bien dispuesto, penetró en un amplio dormitorio con dos camas gemelas, grandes armarios empotrados en la pared, una mesita de noche y una librería. Hilaria miró uno de los armarios con cierto regocijo.

—No sé lo que voy a poner aquí dentro —observó—. Sólo tengo lo que llevo puesto.

—Oh, no te preocupes por eso. Podrás tener todo lo que desees. Hay un departamento de modas y toda clase de accesorios, cosméticos y demás. Todo de primera clase. La Unión está bien provista... encontrarás todo lo que quieras.

Dijo aquellas palabras ligeramente, pero a Hilaria le pareció que tras aquello se escondía la desesperación y el desaliento.

No es necesario salir de aquí. No hay oportunidad de salir nunca de este lugar. *¡El que entra abandona toda esperanza!* ¡La Jaula de Oro! ¿Y era por esto, pensó, por lo que todas aquellas distintas personalidades habían abandonado su patria y sus hogares? El doctor Barron, Andy Peters, el joven Ericson con su rostro soñador y la altiva

Helga Needheim. ¿Sabían lo que iban a encontrar? ¿Les contentaría? ¿Era esto lo que deseaban?

Pensó:

«Será mejor que no haga demasiadas preguntas... por si alguien está escuchando.»

¿Les estarían escuchando? ¿Eran vigilados? Tom Betterton lo consideraba probable, pero... estaba en lo cierto? ¿O era sólo su histeria y sus nervios los que le hacían pensar así? Tom Betterton estaba muy próximo a derrumbarse. Sí, y lo mismo estaría ella dentro de unos seis meses... ¿Qué efectos produciría en las personas vivir así?

Tom Betterton le dijo:

—¿No te gustaría echarte un rato... y descansar?

—No —vaciló—. No, creo que no.

—Entonces será mejor que vengas conmigo al Registro.

—¿Qué es el Registro?

—Todo el que entra aquí pasa el Registro. Anotan todas las particularidades. Salud, dentadura, presión de la sangre, tipo sanguíneo, reacciones psicológicas, gusto, alegrías, aptitudes, preferencias...

—Eso parece una revisión militar... ¿o debo decir médica?

—Ambas cosas —replicó Betterton—. Esta organización es verdaderamente formidable.

—Siempre lo he oído decir —dijo Hilaria—. Todo lo que está tras el Telón está bien planeado.

Trató de hablar con entusiasmo. Al fin y al cabo, Olivia Betterton era de presumir que simpatizara con el partido; aunque, tal vez, por orden, no se hubiese sabido que fuera miembro del mismo.

Betterton dijo en todo evasivo:

—Hay muchas cosas que tienes que ir comprendiendo. —Y agregó a toda prisa—: Será mejor que no trates de asimilar demasiadas a un tiempo.

Volvió a besarla con frialdad, aunque con ternura aparente, murmurando en voz muy baja junto a su oído:

—Siga fingiendo.

Y luego en voz alta agregó:

—Y ahora, vamos al Registro.

CAPÍTULO XII

EL Registro estaba presidido por una mujer con aspecto de institutriz. Llevaba los cabellos recogidos en un moño bastante estrafalario y lentes sin montura. Asintió aprobadoramente al ver entrar a la Betterton en la severa oficina.

—¡Ah! —le dijo—. Ha traído usted a la señora Betterton. Muy bien.

Su inglés era perfecto, pero tan preciso y calculado que Hilaria pensó que debía ser extranjera. En realidad era de nacionalidad suiza. Hizo sentar a Hilaria y abriendo un cajón sacó un montón de formularios en los que comenzó a escribir rápidamente. Tom Betterton dijo ante la sorpresa de la joven:

—Bueno, Olivia, yo te dejo ahora.

—Sí, haga el favor, doctor Betterton. Será mucho mejor que pasemos ahora por todas las formalidades.

Betterton salió, cerrando la puerta tras de sí. La mujer mecánica (esa impresión le daba a Hilaria) continuó escribiendo.

—Bien —dijo en tono comercial—. Dígame su nombre completo, edad, lugar de nacimiento. Nombre del padre y de la madre. Si ha sufrido alguna enfermedad grave. Gustos, aficiones. Hágame una lista de los empleos que ha tenido. Sus títulos universitarios y sus preferencias en cuanto a comidas y bebidas.

Aquello le pareció un interrogatorio interminable. Hilaria iba respondiendo casi mecánicamente. Ahora se alegraba de la esmerada instrucción que recibiera de Jessop. Lo hizo tan bien, que las respuestas acudían a sus labios sin tener que detenerse a pensar. Al fin la mujer mecánica le dijo al rellenar la última casilla:

—Bien, eso es todo para el Departamento. Ahora la pasaremos al doctor Schwartz para la revisión médica.

—¡De veras! —exclamó Hilaria—. ¿Es necesario todo eso? Lo encuentro absurdo.

—Oh, nos gusta hacer las cosas a conciencia, señora Betterton. Nos gusta tener informes bien completos. El doctor Schwartz la aguarda. Luego irá a ver al doctor Rubec.

El doctor Schwartz era rubio y muy amable. Revisó a la joven minuciosamente y luego le dijo:

—¡Bueno! Hemos terminado. Ahora vaya a ver al doctor Rubec.

—¿Quién es el doctor Rubec? —quiso saber Hilaria—. ¿Otro médico?

—El doctor Rubec es psicólogo. Vamos, señora Betterton, no se ponga nerviosa. No van a darle ningún tratamiento. Sólo se trata de un «test» para conocer cuál es su personalidad.

El doctor Rubec era un suizo melancólico de unos cuarenta años de edad. Saludó a Hilaria y echó un vistazo a la ficha que le había entregado el doctor Schwartz asintiendo aprobadoramente.

—Celebro ver que su salud es excelente —le dijo—. Tengo entendido que sufrió usted un accidente de aviación, ¿no es cierto?

—Sí —repuso Hilaria—. Estuve cuatro o cinco días en un hospital de Casablanca.

—Cuatro o cinco días no es suficiente —replicó Rubec—. Debiera haber estado más tiempo.

—No quise permanecer más tiempo allí. Quería continuar mi viaje.

—Eso desde luego es muy comprensible, pero es necesario mucho reposo después de una conmoción. Aparentemente puede estar bien y normal, pero después puede producirle serios efectos. Sí, ya veo que sus reflejos nerviosos no son los que debieran. En parte debido a la excitación del viaje, y en parte, sin duda, a la conmoción. ¿Tiene dolores de cabeza?

—Sí, fortísimos. Y me confundo muy a menudo y luego no puedo recordar algunas cosas.

Hilaria consideró prudente insistir sobre este punto. El doctor Rubec asentía comprensivo.

—Sí, sí, sí, pero no se preocupe. Todo esto pasará. Ahora le iré diciendo algunas palabras para ver su asociación de ideas y saber qué tipo de mentalidad es la suya.

Hilaria se sentía algo nerviosa, pero al parecer todo fue bien. El «test» resultó ser meramente rutinario. El doctor Rubec iba anotando sus respuestas en una amplia tira de papel.

—Es un placer —dijo al fin— tratar con alguien que no es ningún genio. Perdóneme y no tome equivocadamente lo que le digo, madame.

Hilaria rió.

—¡Oh, desde luego que no soy ningún genio!

—Afortunadamente para usted. Puedo asegurarle que su vida será mucho más tranquila —suspiró—. Aquí, como comprenderá, trato principalmente con inteligencias privilegiadas, más del tipo sensitivo apto para desequilibrarse con facilidad, y donde la tensión emocional es muy fuerte. El hombre de ciencia, señora, no es el individuo ecuánime y frío que suelen pintar en las novelas. En resumen —con cluyó Rubec, pensativo—, entre un jugador de tenis de primera categoría, una *primma donna* y un físico nuclear existe muy poca diferencia en cuanto a inestabilidad emocional se refiere.

—Tal vez tenga razón —dijo Hilaria, recordando que según su nueva personalidad había vivido algunos años íntimamente unida a unos científicos—. Sí son bastante complejos algunas veces.

—No creería usted las emociones que se alzan aquí —le explicó—. Las peleas, envidias y *suspicacias*. Tenemos que tomar medidas para sofocarlas. Pero usted, señora —sonrió—, usted pertenece a la minoría de los que viven aquí. A la clase afortunada, si me permite decirlo.

—No lo comprendo del todo. ¿Qué clase de minoría?

—A la de las esposas. Aquí no hay muchas. Se permite venir a muy pocas. En conjunto, uno las encuentra estimulantes comparadas con los arrebatos de sus esposos y los colegas de sus esposos.

—¿Y qué hacen aquí? —preguntó Hilaria—. Ya ve que todo resulta nuevo para mí. Todavía no comprendo nada.

—Naturalmente que no. Desde luego. Pues... aquí hay entretenimientos, diversiones y cursos de instrucción. Un amplio campo. Espero que la vida le resulte agradable.

—¿Como a usted?

Era una pregunta bastante osada e Hilaria se estuvo preguntando si hizo bien en hacerla. Pero al doctor Rubec le pareció divertida.

—Tiene usted razón, señora. Aquí la vida me parece tranquila y en extremo interesante.

—¿No siente nostalgia de... Suiza?

—En absoluto. No. Eso es en parte porque las condiciones de mi casa eran malas. Tuve mujer y varios hijos. Yo no estoy hecho para la vida de hogar, para ser un padre de familia. Aquí el ambiente es infinitamente mucho **más** agradable. Tengo amplias oportunidades para estudiar ciertos aspectos de la inteligencia humana que me interesan y sobre lo que estoy escribiendo un libro. Carezco de preocupaciones domésticas, distracciones e interrupciones, y me encuentro admirablemente.

—¿Dónde tengo que ir ahora? —quiso saber Hilaria al ponerse en pie y estrecharle cortésmente la mano.

—Mademoiselle La Roche la llevará al Departamento de Modistería y estoy seguro de que el resultado será admirable. —Se inclinó.

Después de todas las mujeres «mecánicas» que había conocido hasta entonces, Hilaria se vio agradablemente sorprendida por la simpatía de la señorita La Roche. Esta señorita había sido dependienta en una casa de *haute couture* de París, y sus modales eran exquisitamente femeninos.

—Estoy encantada de conocerla, señora. Espero poder servirla en algo. Puesto que acaba de llegar, y sin duda estará cansada, le sugiero que ahora escoja sólo lo preciso. Mañana y desde luego durante el curso de la semana que viene, podrá examinar nuestra colección con toda calma. Siempre he pensado que es muy fatigoso tener que escoger a toda prisa. Esto destruye todo el placer de la *toilette*. De modo que podría escoger un traje de comida, y tal vez un *tailleur*.

—¡Qué agradable resulta! —comentó Hilaria—. No puede imaginarse lo extraña que una se siente no teniendo más que un cepillo de dientes y una esponja.

Mademoiselle La Roche rió alegremente. Tomó medidas a Hilaria y la condujo a un gran departamento cuyas paredes estaban cubiertas de armarios. Allí había toda clase de vestidos, hechos con buenos materiales y muy bien cortados en todas las tallas. Cuando la joven hubo seleccionado lo esencial de la *toilette* pasaron al Departamento de Cosméticos, donde Hilaria escogió polvos, cremas y otros accesorios para su arreglo personal, que fueron entregados a una joven nativa de rostro moreno y ojos brillantes vestida de un blanco impoluto, y quien recibió instrucciones para que los llevara a las habitaciones de Hilaria.

Todos aquellos procedimientos le habían parecido a Hilaria producto de un sueño.

—Y espero que en breve tendremos el gusto de verla de nuevo —le dijo la señorita La Roche—. Será un gran placer ayudarla a escoger sus modelos, madame. *Entre nous*, mi trabajo resulta a veces impertinente. Estas damas científicas suelen preocuparse muy poco por la *toilette*. Por ejemplo, no hará ni un cuarto de hora que estuvo aquí una de sus compañeras de viaje.

—¿Helga Needheim?

—Ah, sí, ése es su nombre. No es que sea mal parecida si cuidara un poco su figura y si escogiera una línea que la favoreciese resultaría mucho. ¡Pero no! No siente el menor interés por la ropa. Tengo entendido que es médico. Especialista de no sé qué. Esperemos que se tome un poco más de interés por sus pacientes que por su *toilette*. ¡Ah!, a ésa, ¿qué hombre la mirará dos veces?

La señorita Jennson, la joven delgada, morena y con lentes que les recibiera a su llegada, entraba ahora en el salón de modas.

—¿Ha terminado ya, señora Betterton? —le preguntó con amabilidad.

—Sí, gracias —repuso Hilaria.

—Entonces tal vez quisiera venir conmigo a ver al subdirector.

Hilaria dijo *au revoir* a mademoiselle La Roche y siguió a la señorita Jennson.

—¿Quién es el subdirector? —le preguntó.

—El doctor Nielson.

Allí todos eran médicos, reflexionó Hilaria.

—¿Qué es exactamente el doctor Nielson? —insistió—. ¿Médico, científico... o qué?

—¡Oh, no es médico, señora Betterton! Está encargado de la administración. Todas las quejas hay que presentarlas a él. Es la cabeza administradora de la Unión, y siempre sostiene una entrevista con todo el que llega. Después no creo que vuelva usted a verle, a menos que ocurra algo muy importante.

—Ya —replicó Hilaria, divertida al ver cómo le había parado los pies.

Para penetrar en los dominios del doctor Nielson tuvieron que atravesar dos antecámaras donde trabajaban varias taquígrafas. Al fin fueron admitidas en el despacho del doctor Nielson, que al verlas se puso en pie detrás de su enorme mesa de escritorio. Era un hombre corpulento, de modales corteses y de origen transatlántico, aunque con muy poco acento americano.

—¡Ah! —exclamó adelantándose para estrechar la mano de Hilaria—. Usted es... sí... déjeme pensar... sí, la señora Betterton. Encantado de darle la bienvenida, señora Betterton. Esperamos que sea muy feliz entre nosotros. Lamento el desgraciado accidente que sufrió durante su viaje, pero celebro que no haya sido nada. Sí, tuvo usted mucha suerte. Muchísima. Bien, su esposo la estaba esperando con impaciencia y confío en que ahora que ya está usted aquí se instalen a gusto y estén contentos y felices.

—Gracias, doctor Nielson.

Hilaria tomó asiento en la silla que él le acercó.

—¿Desea usted hacerme alguna pregunta? —le dijo Nielson inclinándose sobre su escritorio.

—Eso sí que es difícil de responder —le dijo—. La verdad es que tengo tantas que hacerle que no sé por dónde empezar.

—Claro, claro. Lo comprendo. Si quiere seguir mi consejo... es sólo un consejo y nada más..., yo de usted no preguntaría nada. Limítese a adaptarse a ver lo que ocurre. Créame, es el mejor sistema.

—¡Sé tan pocas cosas! —repuso Hilaria—. ¡Y es todo tan... tan inesperado!

—Sí. La mayoría piensan eso. La idea general es que debieran haber llegado a Moscú. —Rió alegremente—. Nuestra casa solitaria sorprende a casi todos.

—Desde luego para mí fue una sorpresa.

—Bueno, no decimos muchas cosas de antemano. Sabe, podrían no ser discretos, y la discreción es bastante importante. Pero ya verá qué cómoda se encontrará aquí. Cualquier cosa que no le guste... o algo particular que quisiera tener... sólo tiene que pedirlo y ya veremos de arreglarlo. Cualquier afición artística, por ejemplo: pintura, escultura, música... tenemos un departamento para practicar cada cosa.

—Temo no ser ningún talento en este sentido.

—Bueno, aquí también hay mucha vida social, en cierto modo. Juegos... tenemos pistas de tenis y frontones. A menudo las personas tardan una semana o dos en encontrar sus preferencias, especialmente de su esposo, si me permite decirlo. Su esposo tiene su trabajo y está ocupado y algunas veces las esposas tardan algún tiempo... bueno... en congeniar con otras esposas. Ya me comprende.

—Pero ¿hay... que estarse aquí?

—¿Estarse aquí? No la comprendo, señora Betterton.

—Quiero decir si se quedan aquí o van a algún otro sitio.

El doctor Nielson se mostró poco concreto.

—¡Ah! —dijo—. Eso depende de su esposo. Ah, sí, sí, eso depende en gran parte de él. Hay posibilidades. Varias posibilidades. Le sugiero que... bueno, que vuelva a verme dentro de unas tres semanas, y me diga qué tal se encuentra aquí... y demás.

—¿No se sale de aquí para nada?

—¿Salir, señora Betterton?

—Quiero decir fuera de las verjas.

—Es una pregunta muy natural —repuso Nielson—. Sí, sí, muy natural. La mayoría la hacen cuando vienen aquí. Pero el caso es que nuestra Unión constituye un mundo en sí misma. No hay por qué salir. Estamos en pleno desierto. Ahora no la reprocho, señora Betterton. La mayoría de personas sienten lo mismo la primera vez que vienen aquí. Ligera claustrofobia. Así es como la define el doctor Rubec. Pero yo le aseguro que eso pasa. Es un lastre, por así decirlo, del mundo que acaba de dejar. ¿Ha observado alguna vez un hormiguero, señora Betterton? Es muy interesante... interesante e instructivo. Cientos de insectos negros yendo de un lado a otro, tan decididos, activos y con un fin determinado. Y no obstante el conjunto es una gran confusión. Así es el viejo mundo que usted ha abandonado. Aquí hay comodidad, trabajo y tiempo indefinido. Yo le aseguro —sonrió— un Paraíso terrenal.

Capítulo XIII

E s como un colegio —decía Hilaria.

Se encontraba de nuevo en sus habitaciones. Los vestidos y accesorios que había escogido le aguardaban en su dormitorio. Fue colgando los trajes en el armario y dispuso las demás cosas a su gusto.

—Sí, ya sé —repuso Betterton desde la salita—. Al principio yo pensaba lo mismo.

Su conversación era prudente y en tono ligeramente elevado. Seguía pesando sobre ellos a sombra de un posible micrófono. No obstante él dijo:

—Sabes, todo va bien. Tal vez haya sido producto de mi imaginación. Pero de todas maneras...

Dejó la frase sin terminar, pero Hilaria comprendió que lo que quedaba por decir era:

—...pero de todas maneras, será mejor que andemos con cuidado.

Todo aquello, pensaba Hilaria, era como una pesadilla fantástica. Allí estaba ella con un extraño, y no obstante la incertidumbre y el peligro hacía que ninguno de los dos se sintiera violento. Era como el escalar una montaña suiza. Entonces se vive cerca de los guías y otros escaladores debido a las circunstancias. Al cabo de unos minutos Betterton dijo:

144 — Agatha Christie

—Sabes, cuesta un poquitín acostumbrarse. Seamos muy naturales. Corrientes. Más o menos como si todavía estuviésemos en casa.

Ella comprendió lo acertado de su consejo. Aquella sensación de irrealidad persistía durante algún tiempo. En aquellos momentos no podían tratar de las razones que impulsaron a Betterton a dejar Inglaterra, sus esperanzas, y sus desilusiones. Eran dos personajes que representaban su papel con una amenaza indefinida sobre sus cabezas.

—He tenido que pasar por una serie de formalidades... médicas, psicológicas y demás.

—Sí. Siempre se hace. Es natural, supongo.

—¿Tú hiciste lo mismo?

—Más o menos.

—Luego fui a ver al... subdirector creo que le llaman.

—Sí. Es quien dirige este sitio. Es muy buen administrador.

—¿Pero no es él el cabeza de todo esto?

—¡Oh, no! Ése es el director.

—¿Y yo lo veré?

—Supongo que más tarde o más temprano, pero no suele dejarse ver a menudo. De cuando en cuando nos dirige la palabra... posee una personalidad muy estimulante.

Había un ligero ceño entre las cejas de Betterton e Hilaria consideró más oprtuno abandonar el tema. Betterton dijo, mirando su reloj:

—La cena es a las ocho. A las ocho, o las ocho y media. Será mejor que bajemos, si estás dispuesta.

Habló exactamente igual que si estuvieran en un hotel.

Hilaria se había puesto el vestido que acababa de adquirir. Era de un tono gris verdoso muy suave que hacía resaltar su roja cabellera. Luego de colocarse un collar de bisutería bastante bonito le dijo que estaba lista. Bajaron la escalera y tras recorrer varios pasillos llegaron al fin al gran comedor. La señorita Jennson salió a su encuentro.

—Le he preparado una mesa algo más grande, Tom —dijo a Betterton—. Dos compañeros de viaje de su esposa se sentarán con ustedes... y los Murchison, desde luego.

Se dirigieron a la mesa indicada. La mayoría eran para cuatro, ocho o diez personas. Andy Peters y Ericson ya estaban sentados y se pusieron en pie al acercarse Hilaria y Tom. La joven les presentó a «su marido». Luego se unió a ellos otra pareja. Betterton les presentó como el doctor Murchison y su esposa.

—Simón y yo trabajamos en el mismo laboratorio —dijo a modo de explicación.

Simón Murchison era un hombre joven, delgado y de aspecto anémico. Tendría unos veintisiete años, y su esposa era morena y robusta. Hablaba con fuerte acento extranjero, e Hilaria supuso que debía ser italiana. Su nombre de pila era Bianca, y saludó a la joven cortésmente, pero con cierta reserva.

—Mañana le enseñaré este lugar —le dijo—. Usted no es científica, ¿verdad?

—No. No recibí esa clase de enseñanzas —replicó Hilaria—. Antes de casarme trabajé como secretaria durante algún tiempo.

—Bianca tiene algunos títulos oficiales —intervino su esposo—. Ha estudiado economía y leyes comerciales. Algunas veces da conferencias, pero es difícil encontrar en qué ocupar todo el tiempo a nuestra disposición, durante el día.

Bianca encogióse de hombros.

—Después de todo, Simón, yo vine aquí para estar contigo y creo que hay muchas cosas que podrían organizarse. Estoy estudiando las condiciones. Quizá la señora Betterton, puesto que no está ligada a ningún trabajo científico, pueda ayudarme en estas cosas.

Hilaria se avino a secundarla y Andy Peters les hizo reír a todos diciendo tristemente:

—Me siento como un niño pequeño que acaba de ingresar en un colegio y siente nostalgia de su casa. Celebraré comenzar a trabajar.

—Es un lugar maravilloso para el trabajo —dijo Simón Murchison con entusiasmo—. Sin interrupciones y con todos los aparatos que se desean.

—¿Cuál es su especialidad? —preguntóle Andy Peters.

Los tres hombres se enfrascaron en una conversación cuya jerga Hilaria apenas entendía. Volvióse a Ericson que estaba reclinado en su silla mirando al vacío.

—¿Y usted? —le preguntó—. ¿También siente nostalgia?

Él la miró como si regresara de muy lejos.

—Yo no necesito un hogar —repuso—. Todas estas cosas: casa, lazos afectivos, padres, hijos... son grandes estorbos. Para trabajar hay que ser completamente libre.

—¿Y usted cree que aquí lo estará?

—Todavía no puede decirse. Eso espero.

Bianca dirigióse a Hilaria.

—Después de cenar pueden hacerse varias cosas —le dijo—. Hay un salón de juego donde jugar al *bridge*: cine y tres noches por semana representaciones teatrales. De cuando en cuando también se baila.

Ericson frunció el ceño.

—Todas esas cosas son innecesarias —comentó—. Disipan energías.

—Para las mujeres, no —dijo Bianca—. Para nosotras son necesarias.

Él la miró con frialdad y disgusto.

Hilaria pensaba: «Para Ericson las mujeres también somos innecesarias.»

—Yo me acostaré temprano —dijo en voz alta bostezando deliberadamente—. Creo que esta noche no me apetecerá ver ninguna película ni jugar al *bridge*.

—Sí, querida —apresuróse a decir Tom Betterton—. Es mucho mejor que te acuestes pronto y descanses. Recuerda que has tenido un viaje agotador.

Cuando se levantaron de la mesa, Betterton dijo:

—Aquí el aire es maravilloso de noche. Solemos dar una vuelta por el jardín de la terraza de arriba antes de tomar parte en las diversiones. Subiremos un rato y luego te acuestas.

Subieron en un ascensor manejado por un nativo de magnífico aspecto, vestido de blanco, los subalternos eran de piel más oscura y mayor corpulencia que los berberiscos... tipos del desierto, pensó Hilaria. A la joven le sorprendió la inesperada belleza de aquel jardín sobre el terrado y también por el gasto que representaba. Debían haber subido hasta allí toneladas de tierra, y el resultado era como el escenario de «Las Mil y Una Noches». Se oía el murmullo del agua, y había gran cantidad de altas palmeras, hojas y plantas tropicales y otras muchas especies, y caminos de azulejos de hermosos colores y dibujos de hermosísimas flores de Persia.

—Es increíble —exclamó Hilaria—. Aquí... en medio del desierto —y dijo lo que había pensado—: Parece un cuento de «Las Mil y Una Noches».

—Estoy de acuerdo con usted, señora Betterton —dijo Murchison—. ¡Parece exactamente la obra de un genio! Ah, bueno... supongo que ni siquiera en el desierto no existe nada que no pueda conseguirse teniendo agua y dinero... mucho de las dos cosas.

—¿De dónde viene esa agua?

—De un manantial que nace de lo más profundo de la montaña. Ésa es la *raison d'etre* de la Unión.

Algunas personas paseaban por el jardín, pero poco a poco se fueron marchando.

Los Murchison se excusaron. Iban a presentar un *ballet*.

Quedaba ya muy poca gente. Betterton, cogiendo del brazo a Hilaria, la condujo a un espacio abierto cerca del muro. Las estrellas brillaban sobre sus cabezas y el aire era ahora fresco y estimulante. Estaban solos. Hilaria se sentó en un banco y Betterton quedó en pie ante ella.

—Ahora, dígame —le dijo en voz baja y alterada—. *¿Quién diablos es usted?*

Ella le miró unos instantes sin responder. Antes de contestar a su pregunta, había algo que ella necesitaba le dijera:

—¿Por qué me reconoció usted como a su esposa? —quiso saber.

Se miraron. Ninguno de los dos deseaba ser el primero en responder al otro. Era un duelo de voluntades, pero Hilaria sabía que por fuerte que fuera la de Tom Betterton cuando dejó Inglaterra, ahora era inferior a la suya. Ella había llegado allí dispuesta a organizar su propia vida... Tom Betterton vivía una existencia planeada. Ella era la más fuerte.

Al fin, Tom apartó la vista y susurró de mala gana:

—Fue... sólo un impulso. Probablemente fui un tonto. Imaginé que la habían enviado... para sacarme por fin de este lugar.

—Entonces, ¿quiere salir de aquí?

—¡Dios mío! ¿Cómo puede preguntarlo?

—¿Cómo vino hasta aquí, desde París?

Tom Betterton soltó una risa amarga.

—No fui secuestrado ni cosa parecida, si eso es lo que piensa. Vine por mi propia voluntad, y lleno de entusiasmo.

—¿Sabía que venía aquí?

—No tenía la menor idea de venir al África, si es eso a lo que se refiere. Me cautivaron los atractivos de siempre. La paz en la tierra, y la libertad de compartir los secretos científicos con todos los hombres de ciencia del mundo desaparición del capitalismo..., ¡las palabrerías de costumbre! Ese individuo, Peters, que ha venido con usted, ha tragado el mismo anzuelo.

—Y cuando llegó aquí..., ¿descubrió que no era así?

De nuevo volvió a dejarse oír su risa amarga.

—Ya lo verá por sí misma. Oh, tal vez sea así, más o menos. Pero no de la manera que uno imagina. No hay... libertad.

Sentóse a su lado con el ceño fruncido.

—Sabe, eso es lo que me molestaba en casa. La sensación de ser vigilado continuamente, y todas las precauciones de seguridad. El tener que dar cuenta de todos los actos..., los amigos... Todo necesario, tal vez, pero que al fin termina aburriéndole a uno... Y entonces cuando alguien le viene con una proposición... pues, se le escucha... Todo suena bien... —rió de nuevo—. Y se termina... aquí.

Hilaria dijo despacio:

—¿Quiere decir que ha llegado a rodearse exactamente de las mismas circunstancias de las que trataba de escapar? ¿Es usted vigilado como lo era antes, del mismo modo o... peor?

Betterton apartó los cabellos de su frente con un gesto nervioso.

—No lo sé —repuso—. Francamente. Lo ignoro. No puedo estar seguro. Tal vez sean cosas de mi imaginación. No sé que me vigilen. ¿Por qué habían de espiarme? ¿Por qué habrían de preocuparse? Me tienen aquí... prisionero y no sé nada.

—¿Y no es lo que había imaginado?

—Eso es lo más extraño de todo. Supongo que en cierto modo, sí. Las condiciones de trabajo son perfectas. Se tienen todas las facilidades y toda clase de aparatos. Puedo trabajar durante tanto tiempo como quiera, o sólo un rato. Tenemos toda clase de comodidades: alimentos, vestidos, vivienda, pero se tiene plena conciencia de que se es un prisionero.

—Lo sé. Cuando las puertas se cerraron a nuestras espaldas sentí esa horrible sensación —dijo Hilaria, estremeciéndose.

—Bien —Betterton pareció recobrarse—. Ya he contestado a su pregunta. Ahora responda a la mía. ¿Qué es lo que hace usted aquí pretendiendo ser Olivia?

—Olivia... —se detuvo buscando las palabras.

—Sí... ¿Qué le ha ocurrido a Olivia? ¿Qué es lo que intenta decirme?

Ella contempló con tristeza su rostro macilento y nervioso.

—He estado temiendo tener que decírselo.

—¿Es que... le ha ocurrido algo?

—Sí. No sabe cuánto lo siento... Su esposa ha muerto... Venía a reunirse con usted y el avión se estrelló. La llevaron a un hospital, donde murió dos días después.

Él la miraba fijamente como si no estuviera dispuesto a demostrar emoción alguna, y dijo tranquilo:

—¿De modo que ha muerto? Ya...

Se hizo un prolongado silencio. Luego Tom volvióse hacia ella.

—Muy bien. Ahora comprendo. Usted ocupó su puesto y vino aquí... ¿Por qué?

Esta vez Hilaria estaba dispuesta a responder. Tom Betterton creía que había sido enviada «para sacarle de allí», pero no era así. Su posición era más bien la de una espía. Fue enviada para conseguir informaciones, no para planear la huida de un hombre que se había situado por gusto en la posición en que se encontraba. Además, ella no contaba con ningún medio. Estaba tan prisionera como él mismo.

Confiar en él podría resultar peligroso. Betterton estaba próximo a desmoronarse. En cualquier momento podían fallarle los nervios, y en semejantes circunstancias sería una locura esperar que guardara un secreto.

—Yo estaba en el hospital con su esposa cuando falleció —le dijo—. Me ofrecí a ocupar su puesto y tratar de llegar hasta usted. Quiso que le trajera un mensaje a toda costa.

Betterton frunció el ceño.

—Pero seguramente...

Ella se apresuró a continuar... antes de que comprendiera lo endeble de su historia.

—No es tan absurdo como parece. Comprenda. Yo simpatizaba con todas estas ideas... esas ideas de las que usted acaba de hablarme. Compartir los secretos científicos con todas las naciones..., un mundo nuevo y ordenado. Sentía entusiasmo por todo esto. Y luego mis cabellos..., si ellos esperaban a una mujer pelirroja aproximadamente de mi edad, pensé que lograría pasar por Olivia. Me pareció que de todas maneras valía la pena probarlo.

—Sí —le dijo mirando su cabeza—. Su pelo es exactamente igual que el de Olivia.

—Y luego, comprenda, su esposa insistió tanto... acerca del mensaje que quería que le transmitiera...

—¡Oh, sí, el mensaje; ¿Qué mensaje?

—Pues decirle que tuviera cuidado... mucho cuidado... que estaba usted en peligro... y que no se fiara de alguien llamado Boris.

—¿Boris? ¿Se refire a Boris Glydr?

—Sí. ¿Le conoce?

—Nunca le vi. Pero le conozco de nombre. Es un pariente de mi primera esposa. *Sé mucho* de él.

—¿Por qué es peligroso?

—¿Qué? —exclamó distraído.

Hilaria repitió su pregunta.

—¡Oh, eso! —Pareció volver de muy lejos—. No sé por qué habría de ser peligroso para *mí*, pero es cierto que en todos sentidos es un individuo peligroso.

—¿En qué sentido?

—Pues es uno de esos capitalistas que matarían satisfechos a media humanidad si por alguna razón lo consideraran conveniente.

Hizo un pausa.

—¿Es que Olivia le había visto? ¿Qué es lo que le dijo?

—No puedo decírselo. Esto es todo lo que dijo. Que corría peligro... y, ah, sí, «que no podía creerlo».

—¿Creer el qué?

—No sé. —Vaciló un momento y luego dijo—: Comprenda... estaba agonizando.

Un espasmo de dolor contrajo su rostro.

—Lo sé..., lo sé... Ya me iré acostumbrando con el tiempo. Ahora no puedo creerlo. Pero me intriga lo de Boris. ¿Cómo podría ser peligroso para mí *aquí*? Si es que vio a Olivia, debía estar en Londres, supongo.

—Sí, estaba en Londres.

—Entonces, sencillamente, no lo entiendo... Oh, bueno, ¿qué importa? ¿Qué diablos importa nada? Aquí estamos hundidos en esta sangrienta Unión y rodeados de un montón de muñecos mecánicos e inhumanos...

—Ésa es la impresión que me dan...

—Y no podemos salir. —Dejó caer su puño crispado sobre el banco—. *No podemos salir*.

—¡Oh, sí podemos! —dijo Hilaria.

Él volvióse a mirarla con sorpresa.

—Encontraremos el medio —insistió confiada.

—Pero... su risa expresaba sarcasmo—, no tiene la menor idea de lo que es este lugar...

—La gente escapó de los sitios más inverosímiles durante la guerra... Cavando un túnel, o lo que sea.

—¿Cómo se puede hacer un túnel en la roca viva? ¿Y en qué dirección? Estamos en medio del desierto.

—Entonces tendrá que ser «lo que sea».

Tom la miró. Ella sonreía con una confianza más voluntariosa que auténtica.

—¡Es usted una criatura extraordinaria! ¡Parece tan segura de sí misma...!

—Siempre hay un medio. Supongo que requerirá tiempo y mucho cálculo.

—Tiempo. —Su rostro volvió a ensombrecerse—. Eso es lo que yo no tengo.

—¿Por qué?

—No sé si será capaz de comprenderlo... Es así. La verdad es que... no puedo trabajar aquí.

—¿Qué quiere decir? —Hilaria frunció el entrecejo.

—¿Cómo explicárselo? No puedo trabajar. No puedo *pensar*. En mi trabajo hay que concentrarse. En parte es... bueno... *creador*. Desde que he venido aquí he perdido el estímulo. Todo lo que puedo hacer son cosas rutinarias... que las haría cualquiera de los científicos baratos, pero no me trajeron aquí para eso. Ellos quieren investigaciones originales y *yo no puedo hacerlas*. Y cuanto más nervioso me pongo y más miedo tengo, estoy en peores condiciones para hacer nada que valga la pena. Y eso me está volviendo loco, ¿comprende?

Sí, ahora lo comprendía, y recordó los comentarios del doctor Rubec acerca de las *prima donna* y los científicos.

—Si yo no hago nada de provecho, ¿para qué sirvo en una organización como ésta? Me liquidarán.

—¡Oh, no!

—¡Oh, pues claro que sí! Aquí no hay sentimentalismos. Lo que me ha salvado hasta ahora es él asunto de la cirugía estética. Sabe, lo van haciendo poco a poco. Y naturalmente un individuo que sufre constantemente operaciones no es de sorprender que no pueda concentrarse. Pero ahora ya han terminado.

—Pero ¿por qué se lo han hecho? ¿Con qué objeto?

—Oh, por seguridad. Quiero decir por mi seguridad personal. Se hace cuando uno... está «reclamado por la Policía».

—Entonces, ¿usted lo está?

—Sí, ¿no lo sabía? ¡Oh, supongo que no lo advertirían en los periódicos! Quizá ni siquiera Olivia lo supiese. Pero me buscan, desde luego.

—Quiere decir... por *traición*, ¿verdad? ¿Es que les ha vendido secretos atómicos?

Él rehuyó la mirada.

—No he vendido nada. Les dije lo que sabía de nuestros procedimientos... sin recibir nada a cambio. No sé si podrá creerme, pero *deseaba* hacerlo. Era parte de todo este tinglado... el reunir todos los conocimientos científicos. Oh, ¿me comprende usted?

Le comprendía perfectamente. Y también con Andy Peters hiciera lo mismo. Incluso ver a Ericson con sus ojos de fanático soñador traicionando a su propia patria con entusiasmo. No obstante, le costaba imaginar a Tom Betterton haciendo una cosa semejante... y comprendió asustada que era por la misma diferencia que existía entre el Betterton de hacía pocos meses que llegó allí pletórico de entusiasmo y el de ahora, nervioso, fracasado, deshecho... un hombre cualquiera terriblemente asustado.

Y mientras ella se entregaba a estos pensamientos, Betterton, mirando nerviosamente a su alrededor, le dijo:

—Todos han bajado ya. Será mejor que...

Hilaria se puso en pie.

—Sí. Pero no se preocupe. Todos lo encontrarán natural... dadas las circunstancias...

—Tendremos que llevar adelante toda esa farsa. Quiero decir que... tendrá que seguir siendo... mi mujer —dijo contrariado.

—Desde luego.

—Pero no se preocupe. Quiero decir que no debe temer nada. Yo dormiré en la salita... —tragó saliva violentísimo.

«¡Qué guapo es! —pensó Hilaria, mirando de perfil—, ¡y qué poco me atrae!

—No creo que debamos preocuparnos por eso —dijo elegantemente—. Lo importante es salir de aquí con vida.

Capítulo XIV

EN una habitación del «Hotel Mamounia», de Marraquex, el hombre llamado Jessop hablaba con la señorita Hetherington. Una miss Hetherington muy distinta de la que Hilaria conociera en Casablanca y Fez. La misma apariencia, el mismo modo de vestir y el mismo peinado, mas su modales habían cambiado. Ahora era una mujer atractiva y competente que daba la sensación de ser mucho más joven de lo que antes representaba.

El tercer hombre de la habitación era un hombre moreno y robusto, de ojos inteligentes, que tamborileaba con sus dedos sobre la mesa, tarareando una cancioncilla francesa por lo bajo.

—...y que usted sepa —decía Jessop—, ésas son las únicas personas con las que habló en Fez.

Juana Hetherington asintió.

—Esa mujer llamada Calvin Baker a quien ya habíamos conocido en Casablanca. Confieso francamente que no puedo sospechar de ella. Se desvió de su ruta sólo para agradar a Olivia Betterton. Pero las americanas son así, entablan conversación con las personas en los hoteles y les gusta unirse a ellas para viajar.

—Sí —repuso Jessop—, es todo demasiado abierto para lo que buscamos.

—Y además —prosiguió Juana Hetherington—, *ella* también iba en ese avión.

—Usted supone —dijo Jessop que el accidente fue premeditado. —Miró de soslayo al hombre moreno y cuadrado.

—¿Qué dice a esto, Leblanc?

El aludido dejó de tararear por unos momentos.

—*Ça se peut* —repuso—. Pudo tratarse de un sabotaje... tal vez averiaron el motor y por eso se estrelló. Nunca se sabrá. El aparato se incendió al estrellarse y todos los que iban a bordo perdieron la vida

—¿Qué sabe del piloto?

—¿Alcadi? Que era joven y bastante competente. Nada más, y que le pagaban muy mal...

—Por lo tanto dispuesto a aceptar otro empleo, pero no un candidato para el suicidio —comentó Jessop.

—Se encontraron siete cadáveres —continuó Leblanc—. Carbonizados, irreconocibles, pero siete cadáveres. No podemos apartarnos de esto.

Jessop volvióse a Juana Hetherington.

—¿Qué estábamos diciendo? —le preguntó.

—En Fez había una familia francesa con la que la señora Betterton cambió algunas palabras, y un hombre de negocios suizo muy rico con una muchacha muy atractiva. Ah, y el magnate del aceite, el señor Arístides.

—¡Ah, sí, ese personaje fabuloso! —exclamó Leblanc—. ¿Qué debe sentirse, me he preguntado a menudo, al tener tanto dinero? Yo me lo gastaría en las carreras, con mujeres y todas las cosas que ofrece el mundo, pero el viejo Arístides se encierra en el castillo que tiene en España; desde luego, lo tiene, *mon cher*, y colecciona, según dice, porcelana china. Pero hay que tener en cuenta —agregó— que ha cumplido los sesenta, y es posible que a esa edad lo único que interese sea la porcelana china.

—Según los mismos chinos —replicó Jessop—, entre los sesenta y los setenta años es cuando se vive más intensamente y uno es capaz de apreciar la belleza y los placeres de la vida.

—*Pas moi!* —exclamó Leblanc.

—En Fez había también algunos alemanes —continuó Juana Hetherington—, pero que yo sepa no cruzaron palabra alguna con Olivia Betterton.

—Tal vez un camarero, o un criado —dijo Jessop.

—Eso siempre es posible.

—¿Y dice que fue sola a la ciudad antigua?

—Fue con uno de los guías acostumbrados. Alguien pudo ponerse en contacto con ella durante la excursión.

—De todas formas decidió muy de repente marchar a Marraquex.

—No tanto —le corrigió Juana—. Ya tenía hechas las reservas.

—¡Ah, me equivoqué! Lo que quise decir es que la señora Calvin Baker se decidió con bastante rapidez a acompañarla. —Se puso en pie y comenzó a caminar de un lado a otro—. Emprendió el vuelo hacia Marraquex y el avión se estrella y es pasto de las llamas. Parece que a las personas llamadas Olivia Betterton les es fatídico el viaje por el aire. Primero el accidente de Casablanca, y luego este otro. ¿Fue un accidente o lo provocaron? Si había personas que deseaban librarse de Olivia Betterton, hubieran encontrado medios más sencillos que destrozar un avión, digo yo que...

—Nunca se sabe —replicó Leblanc—. Compréndame, *mon cher*. Cuando se llega a ese estado de ánimo en el que las vidas humanas no cuentan, entonces es más fácil poner un explosivo debajo de uno de los asientos del avión, que aguardar en una esquina una noche oscura y clavarle un cuchillo por la espalda, puesto que el paquete puede dejarse tranquilamente y el hecho de que mueran otras seis personas ni siquiera se toma en la más mínima consideración.

—Claro que estoy en minoría —dijo Jessop—, pero todavía sigo pensando que existe otra solución..., que simularon el accidente.

Leblanc le miraba con interés.

—Sí, eso pudo hacerse. Pudieron aterrizar y luego prender fuego al avión. Pero no podemos apartarnos del hecho, *mon cher* Jessop, de que había personas a bordo. Y que los cuerpos carbonizados estaban *allí*.

—Lo sé —contestó Jessop—. Ésa es la piedra de choque. Oh, no dudo de que mis ideas son fantásticas, pero es un fin demasiado limpio para nosotros. Demasiado. Eso es lo que yo siento. Significa que hemos de darlo por terminado. Escribir R.I.P. en el margen de nuestro informe y darlo por terminado. Ya no tenemos rastro alguno que seguir. —Volvióse a Leblanc—. ¿Ha hecho investigar el lugar con todo detalle?

—Desde hace dos días —repuso el aludido—. Y también por hombres expertos. Claro que el lugar donde se estrelló el avión es un punto particularmente solitario. A propósito, se había desviado de su ruta.

—Lo cual es significativo —intervino Jessop.

—Se está investigando a fondo en todos los pueblos cercanos, las huellas más próximas de automóviles, las viviendas... todo. En este país tanto como en el suyo, comprendemos la importancia de la investigación. También Francia ha perdido algunos de sus mejores científicos. En mi opinión, *mon cher*, es más fácil controlar a los cantantes de ópera temperamentales que a los científicos. Estos jóvenes son geniales, excéntricos rebeldes, y lo más peligroso de ellos es que son de lo más crédulo. ¿Qué es lo que imaginan que ocurre en *là bas*? ¿Dulzuras, luz, deseos de descubrir la verdad y el secreto de la longevidad? ¡Cielos; pobrecillos, qué desilusión les espera!

—Repasemos de nuevo la lista de pasajeros —dijo Jesop.

El francés alargó la mano para coger un papel de una cesta de alambre y tendérsela a su colega. Los dos hombres se inclinaron sobre él.

—La señora Calvin Baker, americana. La señora Betterton, inglesa; Torquill Ericson, noruego..., a propósito, ¿qué se sabe de él?

—Nada que llame la atención —repuso Leblanc—. Era joven, no tendría más de veintiséis o veintisiete años.

—Me suena ese nombre —dijo Jessop con el entrecejo fruncido—. Creo..., estoy casi seguro... de que leyó algo ante la Real Sociedad.

—Luego viene la *religieuse* —continuó Leblanc volviendo la lista—. La Hermana María no sé qué. Andrés Peters, también americano. El doctor Barron. Era muy conocido *le docteur* Barron. Un hombre eminente. Un experto en enfermedades infecciosas.

—Guerra biológica —dijo Jessop—. Concuerda. Todo concuerda.

—Un hombre mal pagado y descontento —dijo el francés.

—¿Cuántos fueron a Saint-Ives? —murmuró Jessop.

Leblanc le dirigió una rápida mirada sin entenderle y el otro se disculpó.

—Es una antigua canción infantil —le dijo—. En lugar de Saint-Ives ponga una interrogación. Quiere decir «a ninguna parte».

Sonó el timbre del teléfono y Leblanc lo cogió.

—*Allo?* —dijo—. *Qu'est-ce qu'il y a?* Ah, sí, hágalo subir. —Volvióse a Jessop con el rostro animado—. Era uno de mis hombres que me informaba. Parece ser que han descubierto algo. *Mon cher collège*, es posible..., no digo más..., que su optimismo sea justificado.

Poco después dos hombres entraban en la estancia. El primero recordaba algo a Leblanc. El mismo tipo macizo, moreno e inteligente. Sus ademanes eran respetuosos, pero se notaba su satisfacción. Vestía a la europea, aunque sus ropas estaban manchadas y cubiertas de polvo. Evidentemente acababa de llegar de viaje. Le acompañaban un nativo vestido de blanco con la dignidad de quien se encuentra lejos de su país. Sus maneras eran corteses, aunque no serviles. Miraba a su alrededor con algo de asombro mientras el otro hablaba rápidamente en francés.

—Se ofreció la recompensa —explicó—, y este individu y su familia, así como muchos de sus amigos, han estado buscando diligentemente. Le he traído por si quiere hacerle alguna pregunta.

Leblanc volvióse al berberisco.

—Has realizado un buen trabajo —dijo empleando el lenguaje nativo—, Tienes los ojos de halcón. Muéstranos tu descubrimiento.

De entre los pliegues de sus blancas vestiduras sacó un objeto diminuto y dando un paso al frente lo depositó sobre la mesa. Era una perla sintética de un gris rosado.

—Es igual que la que me enseñaron a mí y a los otros —dijo—. Tiene valor y yo la he encontrado.

Jessop, alargando la mano, cogió la perla. De su bolsillo sacó otra exactamente igual, examinándola conjuntamente, Luego, yendo hasta la ventana, las contempló a través de una lupa.

—Sí —dijo—. La marca está aquí. —Su voz vibró excitada mientras volvía a la mesa—. Buena chica —dijo—, buena chica, buena chica. ¡Lo hizo!

Leblanc estaba interrogando al moro en árabe. Al fin se volvió a Jessop.

—Le presento mis excusas, *mon cher collège*. Está perla fue encontrada casi a *una milla* de distancia del lugar donde cayó el aparato.

—Lo cual demuestra —dijo Jessop—, que Olivia Betterton salió con vida del accidente y a pesar de que se encontraron siete cadáveres carbonizados, uno de ellos, desde luego, *no era el suyo.*

—Ahora extenderemos las investigaciones —dijo Leblanc, que volvió a dirigirse al moro, que sonrió contento y abandonó la habitación con el hombre que le había acompañado.

—Será recompensado como se le prometió —dijo el francés—, y ahora se registrarán todos los alrededores para buscar esas perlas. Esas gentes tienen ojos de halcón y la noticia de que pueden ganar un buen puñado de dinero como recompensa correrá como un reguero de pólvora. ¡Creo..., creo..., *mon cher collège*, que obtendremos resultados! Si por lo menos no hubiesen adivinado lo que estaba haciendo.

Jessop meneó la cabeza.

—Podía haber sido algo tan natural —dijo—. Romperse de pronto el collar de bisutería que tantas mujeres suelen llevar, recoger, aparentemente, las perlas que se han caído y guardarlas en un bolsillo... que tiene un pequeño agujero. Además, ¿por qué iban a sospechar de ella? Es Olivia Betterton, la cual está ansiosa por reunirse con su marido.

—Debemos revisar este asunto bajo este nuevo aspecto. —Leblanc le pasó la lista de pasajeros—. Olivia Betterton. Doctor Barron. Dos por lo menos que iban adonde fuera. La americana señora Calvin Baker. En cuanto a ella mantendremos una mentalidad amplia. Dice usted que Torquil Ericson leyó no sé qué papeles ante la Real Sociedad. Peters, el americano, según su pasaporte, era químico in-

vestigador. La *religieuse*... bueno, podría ser un buen disfraz. En resumen, una serie de personas convenientemente
enmascaradas desde distintos puntos y que viajaban en el
mismo aparato en ese preciso día. Y luego el avión es
descubierto en llamas y en su interior aparece un número
conveniente de cadáveres carbonizados. ¿Cómo pudieron
hacerlo?, me pregunto yo. *Enfin, c'est colossal!*

—Sí —comentó Jessop—. Fue el último toque convincente. Pero ahora sabemos que seis o siete personas em-
prendieron un nuevo viaje, y sabemos cuál es su punto de
partida. ¿Qué haremos ahora..., visitar el lugar?

—Exacto —replicó Leblanc—. Montaremos nuestro cuar-
tel general en la vanguardia. Si no me equivoco, ahora que
estamos sobre la pista surgirán nuevas pruebas.

—Si nuestros cálculos son exactos —concluyó Jessop—,
tendrá que haber resultados.

Sus cálculos fueron varios y tediosos. El promedio de
velocidad de un automóvil, la distancia a que tendría que
repostar gasolina, pueblos donde los viajeros pudieron pasar la noche. Las pistas eran muchas y confusas, las desilusiones eran constantes, pero de cuando en cuando se
obtenía un resultado postivo.

—*Voilà, mon capitaine!* Se registraron los lavabos como
usted ordenó. En un rincón oscuro de uno de ellos se encontró una perla incrustada en un pedazo de goma de mascar en casa de un tal Abdul Mohammed. Él y sus hijos
fueron interrogados. Al principio negaban, pero al fin tuvieron que confesar. Una camioneta con seis personas,
procedentes de una expedición arqueológica alemana, pasaron la noche en su casa. Les pagaron mucho dinero y les
dijeron que lo mantuvieran en secreto, toda vez que pen-
saban realizar algunas excavaciones ilícitas. Unos niños del
pueblo de El Kaif también trajeron otras dos perlas. Ahora sabemos la dirección. Y aún hay más, *monsieur le capi-*

taine. La mano de Fatma fue vista como usted predijo. Este individuo se lo dirá.

«El individuo» en cuestión era un moro de aspecto salvaje.

—Estaba con mi gente por la noche y oí un automóvil. Cuando pasó junto a mí vi la mano de Fatma recortada en uno de sus costados. Le digo que resplandecía en la oscuridad —explicó.

—La aplicación del fósforo en un guante puede resultar muy eficaz —murmuró Leblanc—. Le felicito por la idea, *mon cher.*

—Es efectiva, pero peligrosa —dijo Jessop—. Quiero decir que también pudo ser vista fácilmente por los fugitivos.

Leblanc se encogió de hombros.

—No podía ser vista a la luz en pleno día.

—No, pero si se detenían y se apeaban del coche en la oscuridad...

—Incluso en ese caso... es una superstición árabe muy conocida. La pintan a menudo en los carros y vagones. Lo único que hubiesen pensado es que un piadoso musulmán la pintó con pintura fosforescente en su vehículo.

—Es cierto, pero debemos estar prevenidos. Porque si nuestros enemigos lo notaron es muy posible que nos tracen una pista falsa hecha con manos de Fatma fosforescentes.

—Ah, en cuanto a esto estoy de acuerdo con usted. Debemos estar sobre aviso. Siempre, siempre alerta.

A la mañana siguiente Leblanc recibió otras tres perlas falsas dispuestas en forma de triángulo en un pedazo de goma de mascar.

—Esto significa —dijo Jessop— que la próxima etapa del viaje fue en avión.

—Está usted en lo cierto —replicó el otro—. Esto fue

encontrado en un aeródromo militar abandonado que se
encuentra en un lugar solitario y remoto. Había señales
de que allí había aterrizado el avión y vuelto a marchar
no hará mucho tiempo. —Encogióse de hombros—. Un
avión desconocido, que una vez más partió con rumbo igno-
rado. Esto nos deja de nuevo parados y sin saber dónde
arranca la pista siguiente...

CAPÍTULO XV

E s increíble, pensaba Hilaria para sus adentros. Es increíble que lleve aquí *diez días*. Lo que más me asusta en esta vida es ver con qué facilidad se acostumbra uno a todo. Recordó haber visto en cierta ocasión algunos tormentos que utilizaban en Francia durante la Edad Media... una jaula de hierro donde había sido encerrado un prisionero y en donde no podía tenderse, estar de pie ni sentarse. El guía les contó que el último hombre encerrado allí había vivido dieciocho años, y luego otros veinte más cuando le soltaron, hasta que murió ya anciano. Esta adaptabilidad es lo que diferencia al hombre de los animales. Los hombres pueden vivir en cualquier clima, con cualquier alimento y bajo las condiciones que sean. Puede existir lo mismo libre que en cautiverio.

Al principio de llegar a la Unión, Hilaria sintió un pánico ciego, una horrible sensación de encierro, y el hecho de que la cárcel estuviera disimulada con toda clase de lujos hizo que todavía le resultara más temible. Y no obstante, ahora había ya comenzado a aceptar aquellas condiciones de vida como naturales. Era una existencia extraña, en la que nada parecía del todo real, pero no obstante sentía que aquel sueño duraba ya bastante tiempo y que

seguiría durando algún tiempo más. Quizá... para siempre... Tal vez viviera siempre allí..., en la Unión; aquello
era la vida y no había nada más fuera de allí.

Aquella peligrosa adaptación era debida en parte a su
condición de mujer. Las mujeres son adaptables por naturaleza. En su fortaleza y su debilidad. Ellas examinan su
medio ambiente, lo aceptan, y como los realistas, procuran
sacar el mayor provecho posible. Lo que más interesaba
a la joven eran las reacciones de las personas que llegaron
con ella. A Helga Needheim apenas la veía, como no fuera
algunas veces a las horas de las comidas. Cuando se encontraban, la alemana le dedicaba una inclinación de cabeza, pero nada más. Por lo que podía ver, Helga era feliz
y estaba satisfecha. Evidentemente la Unión correspondía
a la imagen que había forjado en ella. Pertenecía al tipo
de mujer que se absorbe en su trabajo y que se sustenta
con su natural arrogancia. Su superioridad y la de sus
compañeros científicos era el primer artículo en el credo
de Helga Needheim. No creía en el mundo de paz, ni en
la hermandad de los hombres, ni en la libertad de mente
y espíritu. Para ella el futuro era estrecho, pero podía con-
quistarse. La super-raza, de la que ella era miembro, debía
gobernar al resto del mundo constituido por esclavos, que
de portarse bien, serían tratados con condescendencia. Si
los puntos de vista de sus compañeros de trabajo eran distintos, si sus ideas eran más comunistas que fascistas, a
Helga no le importaba. Eran necesarios, puesto que su
trabajo era bueno, y sus ideas ya cambiarían.

El doctor Barron era más inteligente que Helga Needheim. Algunas veces sostenía alguna breve conversación
con él. Estaba absorto en su trabajo y plenamente satisfecho de las condiciones para realizarlo, pero su mentalidad gala le impulsaba a investigar y analizar el medio en
que se encontraba.

—No era lo que yo esperaba. No, francamente —dijo un día—. *Entre nous*, señora Betterton. No me gustan las cárceles. Y esto *es* una verdadera cárcel, por bien dorada que esté.

—¿No se parece apenas a la libertad que usted vino a buscar? —le insinuó Hilaria.

Sonrió al responderle:

—Pues no, se equivoca. Yo no buscaba libertad precisamente. Soy un hombre civilizado. Y los hombres civilizados sabemos que no existe semejante cosa. Sólo las naciones más jóvenes e inexpertas ponen la palabra «libertad» en su estandarte. Siempre ha de haber un muro de seguridad. Y la esencia de la civilización es que el medio de vida sea moderado. Una medianía. Siempre se vuelve a las medianías. No. Voy a ser franco con usted. Yo vine solamente por dinero.

Hilaria le devolvió la sonrisa enarcando una ceja.

—¿Y de qué sirve el dinero aquí?

—Con él se pagan los equipos de laboratorios más caros —replicó el doctor Barron—. No estoy obligado a sacarlo de mi bolsillo, y de este modo puedo servir a la ciencia y satisfacer mi propia curiosidad intelectual. Soy un hombre que ama su trabajo de veras, pero no por el bien que pueda proporcionar a la humanidad. Por lo general he descubierto que los blandos corazones son a menudo trabajadores incompetentes. No, lo que yo aprecio es el puro goce intelectual de la investigación. En cuanto al resto, antes de salir de Francia me pagaron una fuerte suma de dinero. La ingresé en un Banco bajo otro nombre y a su debido tiempo, cuando todo esto termine, podré gastarlo como mejor me plazca.

—¿Cuando todo esto termine? —se extrañó Hilaria—. Pero, ¿por qué ha de acabarse?

—Hay que tener sentido común —replicó el doctor

Barron—. No hay nada permanente..., que dure. He llegado a la conclusión de que este lugar está dirigido por un perturbado. Permítame que le diga que un loco puede tener mucha lógica. Si uno es rico, lógico y al mismo tiempo loco, puede tener éxito durante muchísimo tiempo y vivir de ilusiones. Pero al final... al final fracasará. Porque, ya ve usted, lo que ocurre aquí no es razonable. Y todo lo que no lo es, al final siempre sufre las consecuencias. Entretanto... —se encogió de hombros—, me siento admirablemente.

Torquil Ericson, a quien Hilaria suponía terriblemente desilusionado, parecía encontrarse muy a gusto en el ambiente de la Unión. Menos práctico que el francés, vivía en un mundo imaginario creado por él mismo, y tan distinto para Hilaria que apenas podía comprenderle. Gozaba de una especie de austera felicidad absorto en sus cálculos matemáticos y en una interminable vista de posibilidades. Su carácter extraño, impersonal y rudo, asustaba a la joven. Le consideraba uno de esos seres que en un rapto de idealismo enviaría a la muerte a tres cuartas partes de la humanidad para que la cuarta parte restante pudiera participar de una utopía impracticable, existente sólo en su imaginación. Con Andy Peters, el americano, Hilaria estaba más de acuerdo. Quizá porque Peters era un hombre de talento, pero no un genio. Por lo que de él decían los demás adivinaba que era un químico hábil y cuidadoso, pero no un descubridor. Peters, al igual que ella, en seguida odió y temió el ambiente que se respiraba en la Unión.

—La verdad es que ignoraba adónde me dirigía —le dijo—. Creí saberlo, pero me equivocaba. El Partido no tiene nada que ver con este lugar. No estamos en contacto con Moscú. Esto es una especie de sociedad aislada, tal vez fascista.

—¿No cree usted que va demasiado lejos? —le contestó Hilaria.

Él reflexionó unos instantes.

—Tal vez tenga razón. Pensándolo bien, las palabras no tienen gran importancia. Pero sé una cosa: que quiero salir de aquí y saldré.

—No será fácil —replicó Hilaria en voz baja.

Estaban paseando cerca de las fuentes cantarinas del jardín superior después de haber cenado. Bajo la luz de las estrellas tenían la sensación de encontrarse en los jardines del palacio de algún sultán. Los demás edificios adyacentes quedaban velados por la oscuridad.

—No —repuso Peters— no será sencillo, pero no hay nada imposible.

—Me gusta oírle decir eso —exclamó Hilaria—. ¡Oh, cómo me agrada oírselo decir...!

Él la miró con simpatía.

—¿Es que se iba desanimando? —le preguntó.

—Muchísimo. Pero no es eso lo que temo en realidad.

—¿No? ¿Qué, entonces?

—Lo que temo es llegar a acostumbrarme.

—Sí —dijo Peters pensativo—. Sí, sé a lo que se refiere. Aquí hay una especie de «sugestión de masa». Creo que tal vez tenga razón.

—Me parecía mucho más natural que la gente se rebelara —dijo Hilaria.

—Sí, sí; yo he pensado lo mismo. La verdad es que me he preguntado más de una vez, si no habrá algún truco.

—¿Truco? ¿Qué quiere decir?

—Bueno, hablando con toda franqueza. si no nos darán alguna droga.

—Sí. Pudiera ser. Algo que puesto en los alimentos nos induzca a..., ¿cómo diría...?, a someternos.

—¿Pero existe una droga semejante?

—Bueno, ésa no es mi especialidad, pero hay cosas que se administran a las personas para calmarlas, para que se dejen someter antes de practicarles una operación quirúrgica o algo por el estilo. Lo que ignoro es si existe algo que pueda irse administrando durante un largo período de tiempo... y que al mismo tiempo no disminuya la eficacia de las personas. Me siento más inclinado a creer que producen este efecto mentalmente. Quiero decir que alguno de estos organizadores y administradores que hay aquí, estará muy versado en hipnosis, psicología y demás, y que, sin que nos demos cuenta, nos van transmitiendo órdenes para que nos comportemos a su gusto, y ganando nuestras ambiciones, cualesquiera que sean, y que todo esto *produce* un efecto definitivo. Así puede conseguirse, si se sabe cómo hacerlo.

—Pero nosotros no debemos someternos —exclamó Hilaria con calor—. No debemos pensar ni por un momento que nos convenga estar aquí.

—¿Qué opina su esposo?

—¡Oh! ¿Tom? Pues... no lo sé. Es tan difícil. Yo... —No pudo seguir.

Toda la aventura de su vida no podía contársela al hombre que la escuchaba. Durante diez días había vivido muy cerca de un hombre que era un extraño para ella. Si se despertaba por la noche podía oírle roncar en la habitación contigua. Pero ambos habían aceptado aquella situación como inevitable. Ella era una impostora, una espía, dispuesta a representar el papel que fuera y asumir cualquier personalidad. A Tom Betterton no le entendía. Le consideraba un terrible ejemplo de lo que podía ocurrir a un joven y brillante científico que viviera varios meses en la enervante atmósfera de la Unión. De todas formas él no aceptaba con calma su destino. Lejos de aceptar su trabajo con satisfacción, se iba preocupando cada vez más por su incapacidad para concentrarse en él. De cuando en cuando le reiteraba lo que le dijo la noche de su llegada.

—No puedo *pensar*. Es como si se me hubiera secado el cerebro.

Sí; Tom Betterton, por ser un verdadero genio, necesitaba más que nadie de la libertad. Toda sugestión posible no había podido compensarle de la pérdida de su libertad. Sólo gozando de plena libertad era capaz de producir un trabajo creador.

Era un hombre próximo a sufrir una fuerte depresión nerviosa. A la propia Hilaria la trataba con extraña desatención. Para él era una mujer, ni siquiera una amistad. Incluso dudaba de que hubiera sentido la muerte de su esposa. Lo único que le preocupaba incesantemente era el problema de su reclusión. Y una vez y otra repetía::

—Tengo que salir de aquí. Tengo que salir. Tengo que salir. Yo ignoraba esto. No tenía idea de que fuera así. ¿Cómo voy a salir de aquí? ¿Cómo? Tengo que conseguirlo. Tengo que conseguirlo.

En el fondo era muy parecido a lo dicho por Peters, pero el modo de expresarlo fue muy distinto. Peters habló como un hombre joven, furioso, enérgico, desilusionado, seguro de sí mismo y resuelto a poner toda su inteligencia en contra del cerebro de aquella organización en la cual se encontraba. Pero las expresiones de rebeldía de Tom Betterton eran las de un hombre a punto de explotar... un hombre casi loco por la obsesión de escapar. Mas tal vez, pensó Hilaria de pronto, así estallarían ella y Peters dentro de seis meses. Quizá lo que comenzó siendo rebeldía sana, simple amargura por la propia ingenuidad, terminara convirtiéndose en la frenética desesperación de un gato enjaulado.

Deseó poder hablar de todo aquello con su acompañante. Si pudiera decirlo: «Tom Betterton no es mi marido. No sé nada de él. Ignoro cómo era antes de venir aquí y por esto estoy desorientada. No puedo ayudarle, puesto que no sé qué hacer o qué decirle.» En cambio tuvo que escoger cuidadosamente sus palabras.

—Ahora Tom me parece un extraño. No... no me cuenta nada. Algunas veces pienso que el retraimiento, al sentirse encerrado aquí, le está volviendo loco.

—Es posible —repuso Peters secamente— que actúe de ese modo.

—Pero, dígame..., usted habla tan confiado de escapar. ¿Cómo *podemos* huir? ¿Qué ocasiones tenemos?

—No quiero decir que podamos marcharnos pasado mañana, Olivia. Hay que pensarlo y planearlo muy bien. No ignora que la gente se ha escapado de los lugares más inverosímiles. Muchos de los nuestros y también de los del otro lado del Atlántico, han escrito libros acerca de cómo se escapaban de las bien vigiladas fortalezas alemanas.

—Eso es bastante distinto.

—No en lo esencial. Donde hay una entrada siempre existe una salida. Claro que el excavar un túnel queda descartado aquí, de modo que eso suprime muchos otros medios. Pero como le digo, donde hay una entrada, tiene que haber una salida. Con ingenuidad, disimulo, engaño, sobornando como sea, podremos arreglarlo. Es una cosa que hay que estudiar y pensar detenidamente. Le digo una cosa. Yo *saldré* de aquí. Se lo aseguro.

—Lo creo —repuso Hilaria—, pero, ¿y yo?

—Bueno, para usted es distinto.

Su voz denotaba su turbación. Por un momento no comprendió lo que quiso decirle. Luego se dio cuenta de que se refería a que ella ya había alcanzado su objetivo. Había ido para reunirse con el hombre que amaba, y estando junto a él sus deseos de escapar de allí no serían tan grandes. Estuvo tentada de decirle a Peters toda la verdad..., pero su instinto la contuvo.

Le dio las buenas noches y dejó la terraza.

Capítulo XVI

I

BUENAS noches, señora Betterton.

—Muy buenas noches, señorita Jennson.

La joven de lentes parecía muy excitada. Y sus ojos brillaban tras los gruesos cristales.

—Esta noche tendremos reunión —le dijo— ¡El *propio director nos* dirigirá la palabra!

—¡Estupendo! —exclamó Andy Peters, que no andaba muy lejos—. He estado esperando la ocasión de ver a este director.

La señorita Jennson le dirigió una mirada de censura.

—El director es un hombre maravilloso —le dijo enojada.

Mientras desaparecía por uno de los inevitables corredores blancos, Andy Peters lanzó un prolongado silbido.

—¿No le recuerda un poco el *Heil Hitler*?

—Desde luego, suenan por el estilo.

—Lo malo es que en esta vida nunca se sabe realmente adónde vamos a ir a parar. Si yo hubiera sabido cuando dejé los Estados Unidos lleno de ardor juvenil por el bien de la vieja Hermandad de los Hombres que iba a aterrizar en los dominios de otro dictador...

—Todavía no lo sabe —le recordó Hilaria.

—Puedo olerlo... en el aire —repuso Peters.

—¡Oh! —exclamó Hilaria—. ¡Cuánto me alegro de que esté usted aquí. —Y enrojeció al ver cómo la miraba—. Es tan ordinario y agradable... —dijo con desesperación.

En cambio Peters parecía divertido.

—En mi país —le dijo—, la palabra «ordinario» tiene otro significado que en el suyo. Quiere decir vulgar y soez.

—Usted sabe que no he querido decir eso. Sino que es usted como cualquier otro. ¡Oh, Dios mío, eso también suena muy mal!

—¿Usted se refiere al hombre corriente? ¿Está harta de genios?

—Sí, y usted también ha cambiado desde que vino aquí. Ha perdido su amargura... y rencor.

Su rostro se puso repentinamente grave.

—No lo crea —dijo—. Sigue aquí... en mi interior. Todavía puedo odiar. Créame, hay cosas que *deberían* odiarse.

II

La Re-Unión, como la llamaba la señorita Jennson, tuvo lugar después de la cena. Todos los miembros de la Unión se congregaron en la gran sala de conferencias.

En el auditorio no estaba incluido lo que pudiéramos llamar el personal técnico: los ayudantes de laboratorio, los cuerpos de ballet y el personal de servicio.

Sentada junto a Betterton, Hilaria aguardó con curiosidad la llegada de la figura casi fabulosa del director. Al interrogarle, Betterton le había respondido vagamente acerca de la personalidad del hombre que fiscalizaba la Unión.

—No es que haya nada de particular en su persona —le

dijo—, pero posee una tremenda personalidad. Sólo le he visto un par de veces. No viene muy a menudo.

Por el modo en que la señorita Jennson y algunas otras mujeres hablaban de él, Hilaria había formado una imagen mental de un hombre alto, de barba y vestido de blanco... una especie de ser superior.

Y se sorprendió al ver que cuando la gente se ponía en pie, subía a la tarima un hombre moreno, bastante grueso, de mediana edad. Por su apariencia no se distinguía de cualquier hombre de negocios. Su nacionalidad era difícil de precisar. Les habló en tres idiomas y sin repetirse. En francés, en alemán e inglés, y todos con la misma facilidad.

—En primer lugar permítanme dar la bienvenida a los nuevos colegas que se han unido con nosotros —comenzó.

Luego dedicó algunas palabras de elogio a cada uno de los recién llegados.

Después pasó a tratar de las ambiciones y creencias de la Unión. Cuando, más tarde, Hilaria trataba de recordar sus palabras, se vio incapaz de hacerlo con exactitud. O quizá fuese que al recordarlas le parecían triviales y vulgares. Pero escucharlas fue algo bien distinto.

Hilaria tuvo una amiga que vivió en Alemania poco antes de la guerra y que le había contado que fue a un mitin sólo por mera curiosidad de oír «a ese absurdo Hitler...» y que luego se encontró llorando histéricamente, llevada de una intensa emoción. Le describió lo sabias e inspiradas que le parecieron cada una de sus palabras, y que luego, al recordarlas, las encontró bastante comunes.

Algo por el estilo estaba ocurriendo ahora. A pesar suyo, Hilaria se exaltaba y elevaba. El director hablaba con sencillez y principalmente de la Juventud. En manos de la Juventud estaba el futuro de la Humanidad.

La acumulación de riquezas, el prestigio y la influencia familiar han sido las fuerzas del pasado. Pero hoy en día, el poder está en manos de la juventud. En los cerebros... En el cerebro químico, el físico, el doctor... De sus laboratorios sale el poder que destruye la gran escala. Con el poder puede decirse: ¡Rendíos... o pereceréis! El poder no puede entregarse a esta o aquella nación. El poder debe estar en manos de aquellos que lo crearon. La Unión es un lugar para reunir todo el poder del mundo. Venís aquí de todas las partes del globo, trayendo con vosotros vuestros conocimientos científicos y creativos. ¡Y con vosotros, traéis la *Juventud*! Ninguno de los que estáis aquí pasa de los cuarenta y cinco años. Cuando llegue el momento crearemos un «trust». El Trust de los Cerebros al servicio de la Ciencia. Y regiremos los asuntos mundiales. Daremos órdenes a los capitalistas, reyes, ejércitos e industriales. Proporcionaremos al mundo la *Pax Scientifica*.

Sus palabras tenían una fuerza intoxicadora... pero no eran sus palabras en sí... era el poder del orador el que arrastraba al auditorio que hubiera podido ser frío y escéptico, de no haberse sentido invadido por la indescriptible emoción de la cual tan poco se sabe.

Cuando el director terminó bruscamente con los gritos de despedida:

—¡Valor y victoria! ¡Buenas noches! —Hilaria abandonó la sala como en un sueño exaltado, y vio lo mismo en los rostros de los que estaban a su alrededor. Ericson, sobre todo, tenía los ojos brillantes y la cabeza ligeramente echada hacia atrás como transportado.

Luego sintió que Andy Peter la cogía del brazo y le decía junto al oído:

—Suba conmigo a la terraza. Necesitamos un poco de aire.

Subieron en el ascensor sin pronunciar palabras, y echaron a andar bajo las palmeras y las estrellas. Peters aspiró la brisa con fuerza.

—Sí. Esto es lo que necesitábamos. Aire para disipar las nubes de gloria.

Hilaria exhaló un profundo suspiro. Todavía seguía soñando.

Él la sacudió por el brazo.

—Despierte, Olivia.

—Nubes de gloria —dijo la joven—. ¿Sabe... que *era* así?

—Despierte, le digo. ¡Sea una mujer! ¡Pise fuerte sobre una sólida realidad! Cuando se le pasen los efectos del Gas de la Gloria se dará cuenta de que ya ha escuchado antes esas cosas.

—Pero era hermoso... quiero decir que era un hermoso ideal.

—Tonterías. Aténgase a los hechos. Juventud y Cerebro... gloria, gloria, ¡aleluya! ¿Qué son la juventud y los cerebros? Helga Needheim, una egoísta. Torquil Ericson, un soñador. El doctor Barron, que vendería a su mismísima abuela por conseguir material para su trabajo. Y yo, un sujeto ordinario, como usted misma dijo, útil ante el microscopio y los tubos de ensayo, pero sin talento siquiera para llevar la administración de una oficina, gobernando el mundo. Fíjese en su esposo... sí, voy a decírselo..., un hombres cuyos nervios están deshechos y que no puede pensar en otra cosa que en el modo como acabarán con él. Le he nombrado a las personas que conoce mejor... pero aquí todos son iguales... yo ya estoy de vuelta de todo esto. Los genios, algunos, no todos, son maravillosos para llevar a cabo su trabajo..., pero como admministradores del Universo... ¡por Dios, no me haga reír! Tonterías perniciosas, eso es lo que hemos estado escuchando.

—¿Sabe...? Creo que tiene razón... Pero las nubes de gloria le siguen arrastrando. ¿Cómo lo hace? ¿Lo cree él? Debe creerlo.

—Supongo que siempre se va a parar a lo mismo. Es

un loco que se cree un dios —dijo Peters amargamente.

—Supongo que sí —replicó Hilaria—. Y no obstante... no me parece satisfactorio.

—Pero ocurre. Una y otra vez se repite la historia. Y le convence a uno. Casi me convence a mí, esta noche. Y a usted la convenció. Si no la traigo aquí en seguida... —Sus modales cambiaron de pronto—. Supongo que no debí hacerlo. ¿Qué diría Betterton? Lo encontrará extraño.

—No lo creo. Dudo que lo haya notado siquiera.

Él la miró interrogándola.

—Lo siento, Olivia. Esto ya es bastante infierno para usted... verle desmoronarse.

Hilaria dijo apasionadamente:

—Debemos salir de aquí. Hay que salir como sea... como sea.

—Saldremos.

—Eso ya lo dijo antes... pero no hemos adelantado nada.

—¡Ah, claro que sí! Yo no he permanecido con los brazos cruzados.

Ella le miró sorprendida.

—No es que tenga un plan determinado, pero he comenzado a actuar subversivamente. Aquí hay muchos que no están satisfechos... muchos más de los que imagina nuestro herr director. Quiero decir entre los miembros de la Unión. Alimentos, lujos y placeres no lo son todo, y sabe. Yo la sacaré de aquí, Olivia.

—¿Y a Tom también?

—Escuche, Olivia, y crea lo que le digo. Tom hará mejor en quedarse aquí. Está... —vacilaba— más seguro aquí que en el mundo exterior.

—¿Más seguro? ¡Qué extraño!

—Más seguro —repitió Peters—. He empleado esas palabras deliberadamente.

—La verdad, no comprendo lo que quiere decir, Tom... no..., ¿no pensará que se está desequilibrando mentalmente?

—En absoluto. Está desmoralizado, pero yo aseguraría que está tan sano como usted o yo.

—¿Entonces por qué dice usted que estaría más seguro aquí?

Peters repuso despacio.

—Una jaula, ya sabe, es un lugar seguro.

—¡Oh, no! —exclamó Hilaria—. No me diga que usted también va a creer eso. No me diga que ese hipnotismo en masa, sugestión o lo que sea, está haciendo mella en usted. ¡Seguros, sumisos y contentos! ¡*Tenemos* que rebelarnos! ¡Debemos querer ser libres!

Peters dijo despacio:

—Sí, lo sé. Pero...

—Tom, de todas formas, desea desesperadamente salir de aquí.

—Es posible que Tom no sepa exactamente lo que le conviene.

De pronto Hilaria recordó lo que Tom insinuara. Si había dispuesto de informaciones secretas era probable que le persiguieran... y eso sin duda era lo que Peters trataba de decirle sin saber cómo, pero ella no tenía dudas a este respecto. Era mejor cumplir una condena que permanecer allí. Y por ello dijo obstinada:

—Tom debe venir también.

Y le sorprendió la respuesta de Peters en tono amargo:

—Como guste, ya la he advertido. Quisiera saber por qué diablos le importa tanto ese individuo.

Ella le miraba consternada. Las palabras acudían a sus labios, pero las contuvo. Se daba cuenta de que deseaba decirle: «No me importa. No significa nada para mí. Era el marido de otra mujer y yo le prometí traerle un mensaje. Tonto, si hay alguien que me importe en este mundo ése eres *tú*...»

III

—¿Has estado divirtiéndote con tu americano?

Tom Betterton le arrojó estas palabras al entrar en la salita. Estaba tendido en el sofá, fumando un cigarrillo.

—Llegamos juntos aquí, y pensamos igual sobre ciertas cosas —le dijo.

—¡Oh, no te lo reprocho! —Por primera vez la miró apreciativamente—. Eres una mujer atractiva, Olivia.

Desde el principio Hilaria le pidió que la llamara siempre por ese nombre.

—Sí, eres muy atractiva —repitió, mirándola de arriba abajo—. Ya lo había notado, pero ahora nada de esto me impresiona.

—Tal vez sea mejor así —repuso Hilaria con sequedad.

—Soy un hombre perfectamente normal, querida, o lo era. Dios sabe lo que soy ahora.

Hilaria se sentó a su lado.

—¿Qué te ocurre, Tom?

—Ya te lo dije. No puedo encontrarme. Como científico estoy hecho un desastre. Este sitio...

—¿Los otros... la mayoría... no parecen sentir como tú?

—Supongo que porque son un atajo de insensibles.

—Algunos son bastante temperamentales —replicó Hilaria—. Si tuvieras algún amigo... algún amigo de verdad...

—Bueno. Tengo a Murchison. A pesar de que es aburridísimo. Últimamente he visto bastante a Ericson.

—¿De veras? —Sin saber por qué, Hilaria se sorprendió.

—Sí. Cielos, es muy inteligente. Ojalá tuviera yo su *cerebro*.

—Es muy extraño —dijo la joven—. Siempre me ha dado miedo.

—¿Miedo? ¿Torquil? ¡Si es inofensivo! En algunos aspectos es como un niño. No conoce el mundo.

—Pues a mí me asusta —repitió Hilaria.

—Tus nervios también se deben ir alterando.

—Todavía no. A pesar de que supongo que ocurrirá. Tom, no intimides demasiado a Torquil Ericson.

Betterton la miró extrañado.

—¿Por qué no?

—No lo sé. Es un presentimiento.

Capítulo XVII

I

L EBLANC alzóse de hombros.

—Han abandonado África, eso es seguro.

—No tan seguro.

—Todas las pruebas lo indican. —El francés meneó la cabeza—. Después de todo ya sabemos cuál era su destino, ¿verdad?

—Si se dirigían adonde suponemos, ¿por qué emprender el viaje desde África? Cualquier otro lugar de Europa hubiera sido más adecuado.

—Eso es cierto. Pero existe el lado contrario... que nadie imaginaría que iban a reunirse y partir desde aquí.

—Todavía sigo pensando que debe haber algo más. —Jessop insistía—. Además, en ese aeródromo sólo pudo aterrizar un aparato pequeño. Tendría que haber tomado tierra para proveerse de combustible antes de cruzar el Mediterráneo. Y en algún sitio hubiera dejado rastro.

Mon cher, hemos realizado todas las averiguaciones posibles... cada lugar ha sido...

—Es posible que nuestros hombres consigan, al fin, algún resultado. El número de aparatos que han de ser examinados es reducido. Sólo un vestigio de radiactividad y sabremos al instante cuál es el avión que buscamos...

—Eso si su gente ha podido utilizar el pulverizador. ¡Cielos! Demasiados «síes»...

—Lo conseguiremos —repuso Jessop obstinado—. Quisiera saber...

—¿Sí?

—Nosotros suponemos que se dirige al *Norte*... hacia el Mediterráneo. ¿Por qué no pensar que fueron hacia el *Sur*?

—¿Volviendo sobre sus pasos? Pero entonces, ¿adónde podría ir? Allí están las montañas del Gran Atlas... y después las arenas del desierto.

II

—Sidi, ¿me promete usted que tendré lo prometido? ¿Un servicio estación en América, en Chicago? ¿Es cierto?

—Es cierto, Mohamed; es decir, si salimos de aquí.

—El éxito depende de la voluntad de Alá.

—Entonces esperemos que la voluntad de Alá sea que tengas un puesto de gasolina en Chicago. ¿Por qué ha de ser en Chicago?

—Sidi, el hermano de mi mujer se fue a América y puso un puesto de gasolina en Chicago. ¿Usted cree que quiero permanecer toda mi vida en este lugar apartado del mundo? Aquí hay dinero, mucha comida y alfombras y mujeres... pero no es moderno. No es América.

Peters miraba pensativo el rostro moreno y de nobles facciones. Mohamed, con sus blancas vestiduras, tenía un magnífico aspecto. ¡Qué extraños eran los deseos del corazón humano!

—No sé si harás bien —le dijo con un suspiro—, pero lo tendrás. Naturalmente, si nos descubren...

El moro exhibió sus blancos dientes en una sonrisa.

—Entonces será la muerte... para mí segura. Quizá para usted no, Sidi, puesto que vale.

—Aquí se mata con mucha facilidad, ¿verdad?

El árabe se encogió de hombros.

—¿Y qué es la muerte? Eso también depende de la voluntad de Alá.

—¿Sabes lo que tienes que hacer?

—Lo sé, Sidi. Tengo que acompañarle a la terraza después de oscurecer. Y también dejar en su habitación ropas como las que llevo yo y los demás criados. Más tarde... otras cosas.

—De acuerdo. Será mejor que ahora me dejes salir del ascensor. Alguien puede haberse fijado que estamos subiendo y bajando... y tal vez entraran en sospechas.

III

Se celebraba un baile, y Andy Peters sacó a bailar a la señorita Jennson. La acercaba mucho a él y parecía murmurarle al oído. Al pasar por donde se encontraba Hilaria, le guiñó un ojo.

Hilaria tuvo que morderse los labios para contener una sonrisa y apartar la vista rápidamente.

Su mirada se detuvo en Betterton que estaba al otro lado de la sala charlando con Torquil Ericson. Hilaria frunció el ceño.

—¿Quiere dar unas vueltas conmigo, Olivia? —le preguntó la voz de Murchison a sus espaldas.

—¡Claro que sí, Simón!

—¡No soy muy buen bailarín! —le advirtió.

La joven se concentró en colocar los pies donde él no pudiera pisárselos.

—Es lo que yo digo, por lo menos se hace ejercicio —dijo Murchison jadeando, pues era un bailarín muy enérgico—. Lleva usted un vestido precioso, Olivia.

Su conversación parecía siempre sacada de una novela pasada de moda.

—Celebro que le guste.

—¿Es del Departamento de Modas?

Resistiendo la tentación de replicar: «¿De dónde, sino?», limitóse a contestar:

—Sí.

—Hay que reconocer que aquí saben hacer las cosas —continuó mientras giraban por la sala—. Eso lo decía a Bianca el otro día. No hay que preocuparse por el dinero... ni los impuestos sobre la renta... ni por las reparaciones o conservación. Todo nos lo dan hecho. Debe ser una vida maravillosa para una mujer.

—Para Bianca lo es, ¿verdad?

—Pues, al principio estaba un poco nerviosa, pero ahora se las ha arreglado para celebrar algunas reuniones y ha organizado una o dos cosas... debates, ¿sabe?, y conferencias. Se lamenta de que usted no tome parte en alguna cosa.

—Temo no ser de esa clase de personas, Simón. Nunca me han gustado las manifestaciones públicas.

—Sí, pero ustedes tienen que divertirse de un modo u otro. Por lo menos... aunque no sea *divertirse* exactamente.

—¿Entretenernos, quizás?

—Sí... quiero decir que la mujer moderna gusta de ocuparse en algo. Comprendo que las mujeres como usted y Bianca han hecho un enorme sacrificio al venir aquí... ninguna se siente interesada por la ciencia, gracias a Dios... la verdad... esas científicas... ¡La mayoría son el colmo! Yo le dije a Bianca: «Dale tiempo a Olivia, ya se irá amoldando.» Se tarda algún tiempo en acostumbrarse a este lugar. Para empezar, uno siente una especie de claustrofobia. Pero se pasa... pasa...

—¿Quiere decir... que uno se acostumbra a todo?

—Bueno, a algunas personas les cuesta más que a otras. Parece que ahora Tom lo toma bastante mal. ¿Por dónde anda esta noche? Ah, sí, ya lo veo; está con Torquil. Son inseparables.

—Ojalá no fueran tan amigos. Quiero decir, que nunca hubiera dicho que tuviesen nada en común.

—El joven Torquil parece fascinado por su esposo. Le sigue a todas partes.

—Ya lo he notado. Y me pregunto..., ¿por qué?

—Bueno, él siempre ha deseado exponer sus teorías a alguien... está más allá de mis fuerzas el poder entenderle... como ya sabe su inglés es bastante deficiente. Pero Tom le escucha y procura comprenderle.

El baile terminó. Andy Peters acercóse a pedirle a Hilaria el siguiente.

—He observado sus sufrimientos por una buena causa —le dijo—. ¿Le ha pisado mucho?

—¡Oh, soy muy ágil!

—¿Ha visto qué bien cumplía mi cometido?

—¿Con la Jennson?

—Sí. Creo que puedo decir sin modestia que he realizado progresos palpables en este sentido. Estas jóvenes cortas de vistas, feas y angulosas responden inmediatamente con el tratamiento debido.

—Desde luego daba la impresión de estar enamorado de ella, ¿no?

—Ésa era mi intención. Esa chica, Olivia, convenientemente manejada, puede sernos útil. Conoce todas las cosas que ocurren aquí. Por ejemplo, mañana, vendrán de visita varios médicos, algunos oficiales del Gobierno y un par de ricos protectores.

—Andy..., ¿usted cree que podrá presentarse la ocasión?
—No lo sé. Apuesto a que tomarán precauciones extremas. De modo que no abrigue falsas esperanzas. Pero nos puede dar una idea de los procedimientos que utilizan. Y en la próxima ocasión... bueno, tal vez podamos hacer algo. Mientras tenga a Jennson comiendo en la palma de mi mano, puedo obtener múltiples informaciones.
—¿Qué saben los que vienen de visita?
—De *nosotros*... me refiero a la Unión... nada en absoluto. O por lo menos eso me figuro. Sólo inspeccionarán las instalaciones y los laboratorios de investigaciones médicas. Este lugar ha sido construido deliberadamente como un laberinto, de modo que ninguno de los que entran pueda adivinar su extensión. Me figuro que habrá una especie de mamparo que se cierre aislando esta área.
—Todo esto parece *increíble*.
—Lo sé. La mitad del tiempo uno se imagina que *está* soñando. Una de las cosas más increíbles es que nunca se ve ningún niño. ¡Gracias a Dios que no los hay! Debe estar contenta de no haber tenido ninguno.
Sintió que ella se ponía rígida.
—¡Vaya... lo siento... ya he dicho una tontería! —Dejando la pista de baile caminaron hasta un par de sillas.
—Lo siento muchísimo —reptió Andy—. La he molestado, ¿verdad?
—No tiene importancia... no, no es culpa suya. Tuve una niña... y murió... eso es todo.
—¿Tuvo usted una hija...? —la miró sorprendido—. ¡Creí que sólo llevaba seis meses de casada con Betterton!
Olivia enrojeció, agregando rápidamente:
—Sí, desde luego. Pero... antes estuve casada. Me divorcié de mi primer marido...
—¡Oh, ya comprendo! Esto es lo peor de este lugar. Que no se sabe nada de las vidas de las personas que vie-

nen aquí, y por eso uno va y dice lo menos apropiado.
A veces me extraña no saber nada de usted.

—Ni yo sé tampoco nada de usted... Cómo fue crecien-
do..., dónde..., su familia...

—Crecí en un ambiente estrictamente científico. Me edu-
qué entre tubos de ensayo. Nadie pensaba o hablaba de
otra cosa. Pero nunca fui la lumbrera de la familia. El
genio se lo llevó otro.

—¿Quién?

—Una chica. Era muy inteligente. Podía haber llegado
a ser otra madame Curie, y abierto nuevos horizontes.

—¿Y qué le ocurrió?

—La mataron.

Hilaria imaginó alguna tragedia ocurrida durante la
guerra y dijo:

—¿La quería mucho?

—Más de lo que quise nunca a nadie.

Se puso en pie impulsivamente.

—¡Qué diablos...! Ya tenemos bastantes problemas en
el presente, aquí mismo. Mire a nuestro amigo noruego.
Aparte de sus ojos parece estar tallado en madera. Y su
bonita y rígida reverencia da la impresión... de que le ti-
ran de una cuerda.

—Es porque es tan alto y delgado.

—No tan alto. Aproximadamente como yo... cinco pies
y medio o seis, no más.

—La altura engaña.

—Sí, es como las descripciones de los pasajeros. Ericson, por ejemplo. Seis pies de altura, pelo rubio, ojos azules, nariz mediana, boca corriente. Incluso agregando a lo
que dice el pasaporte... que habla correctamente, pero con
pedantería... seguirá sin tener la menor idea del aspecto
de Torquil Ericson. ¿Qué ocurre?

—Nada.

Hilaria miraba al otro lado de la sala donde se encontraba Ericson. ¡Aquella descripción de Boris Glydr! Casi la recordaba palabra por palabra. ¿Era por eso que siempre le inquietaba la presencia de Torquil Ericson? ¿Sería posible que...? Volviéndose bruscamente hacia Peters le dijo:

—Supongo que es Ericson, pero ¿no podría ser cualquier otra persona?

Peters la miraba estupefacto.

—¿Otro personaje? ¿Quién?

—Quiero decir... por lo menos creo querer decir... que podría ser alguien que se fingiera Ericson.

Andy Peters meditó unos instantes.

—Supongo... no, no creo que fuese factible. Tendría que ser un científico de todos modos... y Ericson es muy conocido.

—Pero al parecer nadie de los que están aquí le había visto antes... o supongo que podría ser Ericson lo mismo que cualquier otro.

—¿Quiere decir que Ericson podría llevar una especie de doble vida? Me figuro que es posible, pero no muy probable.

—No —replicó Hilaria—. No, claro que no es probable. Desde luego que Ericson no era Boris Glydr. Pero, ¿por qué tendría tanto interés Olivia Betterton en prevenir a Tom contra Boris? ¿No pudo ser porque sabía que Boris *iba camino de la Unión*? ¡Y si el hombre que había ido a Londres haciéndose llamar Boris Glydr no fuese Boris Glydr? Supongamos que en realidad fuera *Torquil Ericson*. La descripción coincidía. Desde que había llegado a la Unión, concentró su atención en Tom. Estaba segura de que Ericson era una persona peligrosa... no se sabía lo que ocultaba tras sus pálidos ojos soñadores...

Se estremeció.

—Olivia..., ¿qué le ocurre? ¿Qué es?

—Nada. Mire. El subdirector va a anunciar algo.

El doctor Nielson había alzado la mano para imponer silencio. Habló por el micrófono colocado en el estrado de la sala.

—Amigos y colegas. Les rogamos que mañana permanezcan en el Ala de Emergencia. Por favor, reúnanse a las once. Se pasará lista. Estas órdenes son sólo para unas veinticuatro horas. Siento tener que molestarles. Se ha puesto un aviso en la tablilla.

Se retiró sonriente y volvió a reanudarse el baile.

—Debo volver junto a la Jennson —dijo Peters—. Veo que me mira impaciente desde una columna. Voy a enterarme en qué consiste eso del Ala de Emergencia.

Se alejó. Hilaria se quedó pensando. ¿Eran sólo imaginaciones tontas? ¿Era Torquil Ericson Boris Glydr?

IV

Se pasó lista en la gran sala de conferencias. Cada uno fue contestando al oír su nombre. Luego formaron una columna y salieron.

La ruta fue como siempre, a través de una serie de intrincados pasillos. Hilaria, que caminaba junto a Peters, sabía que éste llevaba en la mano una brújula diminuta con la que iba calculando su dirección.

—No es que esto nos ayude —comentó en tono bajo—. O de todas formas no nos ayuda de momento. Pero puede que sea así... en alguna ocasión.

Al final del corredor había una puerta, y se detuvieron momentáneamente mientras se abría.

Peters sacó su pitillera..., pero en seguida se oyó la voz de Van Heidem que decía:

—No fumen, por favor. Ya se les ha advertido.

—Lo siento, señor.

Peters se quedó con la pitillera en la mano y luego todos siguieron adelante.

—Como borregos —dijo Hilaria con disgusto.

—Anímese —murmuró Peters—. «Bee... hay una oveja negra en el rebaño... que sólo piensa en hacer daño...» ¿Conoce el refrán?

La joven le dirigió una sonrisa de agradecimiento.

—Los dormitorios de las señoras están a la derecha —anunció la señorita Jennson quien condujo a las mujeres en la dirección indicada.

Los hombres fueron hacia la izquierda.

El dormitorio era una gran sala de apariencia higiénica y semejante a la de los hospitales. Había una serie de camas junto a las paredes separadas por unas cortinas de material plástico que podían correrse a voluntad. Había un armario al lado de cada cama.

—Lo encontrarán todo bastante sencillo —les dijo la señorita Jennson—, aunque no rudimentario. Los baños están a la derecha. Y el salón está al otro lado de la puerta del fondo.

El salón, en el cual se reunieron todos poco después, estaba amueblado al estilo de las salas de espera de los aeropuertos... Había un bar con su correspondiente barra en una de sus esquinas. Al otro lado varias estanterías con libros.

El día transcurrió agradablemente. Hubo dos sesiones de cine sobre una pantalla portátil.

La iluminación era de neón, tal vez para disimular el hecho de que no hubiese ventanas. Hacia el anochecer encendieron otras luces... produciendo una claridad suave y discreta.

—Muy inteligente —dijo Peters en tono admirativo—.

Todo ayuda a disminuir la sensación de haber sido emparedado vivo.

Qué indefensos estaban, pensó Hilaria. En algún sitio, muy cerca de ellos, había un grupo de hombres procedentes del mundo exterior, y no tenían medio de comunicación con ellos, de pedirles ayuda. Como de costumbre, todo había sido convenientemente planeado.

Peters estaba sentado junto a la señorita Jennson. Hilaria propuso a los Murchison que jugaran al *bridge*. Tom Betterton se negó, diciendo que no podía concentrarse, pero el doctor Barron hizo de cuarto.

Por extraño que parezca, Hilaria disfrutó jugando. Eran más de las once y media cuando terminaron el tercer *rubber*, siendo los ganadores ella y el doctor Barron.

—He disfrutado mucho —dijo echando un vistazo a su reloj—. Es bastante tarde. Supongo que los visitantes ya se habrán marchado..., ¿o tendremos que pasar la noche aquí?

—No lo sé, la verdad —dijo Simón Murchison—. Creo que un par de especialistas se quedan esta noche. De todas formas, mañana al mediodía se habrán marchado todos.

—¿Y entonces volvemos a poder circular?

—Sí. Sobre esa hora aproximadamente. Estas cosas trastornan toda nuestra rutina.

—Pero está muy bien organizado —comentó Bianca.

Ella e Hilaria se pusieron en pie, dando las buenas noches a los dos caballeros. Hilaria se apartó para dejar que Bianca la precediera al entrar en el dormitorio escasamente iluminado, y al hacerlo notó que la tocaban en el brazo.

Volvióse sobresaltada, encontrándose ante uno de los criados morenos y de elevada estatura, que le habló apresuradamente en francés.

—*S'il vous plaît*, madame, tiene que venir.

—¿Qué? ¿Adónde?

—Sígame, por favor.

Hilaria permaneció indecisa unos instantes.

Bianca había entrado ya en el dormitorio y en la sala las pocas personas que quedaban charlaban animadamente.

De nuevo volvió a sentir que la tiraban del brazo con apremio.

—Sígame, señora, por favor.

El árabe anduvo unos pasos, parándose para ver si ella le seguía. La joven, algo vacilante, echó a andar tras él.

Observó que aquel nativo iba mucho mejor vestido que los otros criados. Sus ropas estaban bordadas con hilos de brillante oro.

Vigilada por el árabe, caminó hasta una puerta de acceso oculta en un rincón, y luego por los interminables pasillos. No pensó que fuese el mismo camino por el que llegaran al Ala de Emergencia, pero es difícil asegurarlo, puesto que todos los corredores eran muy parecidos. Intentó hacer una pregunta, pero el guía, meneando la cabeza con impaciencia, apresuró el paso.

Al fin se detuvo al término de un pasillo y presionó un botón de la pared. Se corrió un panel, descubriendo un pequeño ascensor. Con un gesto le indicó que entrara en él y, una vez en su interior el ascensor comenzó a subir.

Hilaria preguntó irritada:

—¿Adónde me lleva?

Los ojos oscuros la miraron con reproche.

—A ver al Amo, madame. Es un gran honor para usted.

—¿Quiere decir el director?

—El Amo...

El ascensor se detuvo. Cuando se abrieron las puertas la hizo salir. Luego recorrieron otro pasillo hasta llegar

196 — Agatha Christie

a una puerta. Su guía llamó con los nudillos y le abrieron desde dentro. Allí vio nuevamente blancas vestiduras bordadas en oro y un rostro moreno e impasible.

El hombre acompañó a Hilaria a través de una antesala alfombrada de rojo y descorrió unas cortinas para que pasase. Hilaria se encontró inesperadamente en un interior oriental. Allí había divanes bajos, mesitas para tomar café y un par de hermosos tapices colgados de las paredes. Sentado en uno de los divanes hallábase un personaje a quien contempló con inmenso asombro. Pequeño, amarillo, viejo y arrugado... allí estaba el señor Arístides mirándola sonriente.

Capítulo XVIII

ASSEYEZ-VOUS, *chère madame* —le dijo monsieur Arístides.

Le tendió una mano semejante a una garra, e Hilaria, adelantándose como en un sueño, sentóse en otro diván frente a él.

—Está sorprendida. No es lo que usted esperaba, ¿verdad?

Dejó escapar una risita cascada...

—No, desde luego —repuso Hilaria—. Nunca pensé... nunca pensé...

Pero ya su sorpresa había desaparecido.

Al ver al señor Arístides, todo aquel mundo irreal en el que estuvo viviendo durante las últimas semanas se vino abajo hecho pedazos. La Unión le pareció irreal... porque *lo era*. Nunca fue lo que pretendía. El herr director con su voz arrebatadora tampoco era auténtico... sólo una ficción creada para ocultar la verdad. La verdad estaba allí en aquella estancia secreta. En aquel hombrecillo que reía tranquilamente. Con el señor Arístides en medio de quel cuadro, todo tenía sentido... práctico, sólido y cotidiano.

—Ya comprendo —dijo Hilaria—. Esto... es todo suyo, ¿verdad?

—Sí, madame.

—¿Y el director? ¿El aquí llamado director?

—Vale mucho —repuso el señor Arístides—. Le pago un sueldo muy elevado. Solía dar conferencias a los protestantes.

Fumó en silencio unos momentos. Hilaria nada dijo.

—Junto a usted hay Delicias Turcas, madame, y otras golosinas si prefiere.

De nuevo se hizo el silencio. Luego prosiguió:

—Soy un filántropo, señora. Como ya sabe, soy rico. Uno de los hombres más ricos... probablemente el *más* rico... del mundo hoy en día. Con mi riqueza me siento obligado a servir a la humanidad. He establecido aquí, en este lugar secreto, una colonia de leprosos y un punto de reunión para investigar el problema de curar la lepra. Ciertos tipos de lepra *pueden* curarse. Otros, se ha demostrado por ahora, que son incurables. Pero de todas formas estamos trabajando en ello y obteniendo buenos resultados. La lepra no es en realidad una enfermedad que se contagie fácilmente. No es ni la mitad de contagiosa o infecciosa que la viruela, el tifus, la tuberculosis o cualquier otra enfermedad parecida. Y no obstante, si se dice «una colonia de leprosos» todo el mundo se estremece de horror. Es un miedo antiguo. Un miedo que aparece en la Biblia y que ha perdurado a través de los siglos. El horror a los leprosos. Me ha sido muy útil para establecer este sitio.

—¿Lo estableció por esta razón?

—Sí. Tenemos también un departamento para investigaciones sobre el cáncer, y se realizan importantes trabajos sobre tuberculosis. Y también se investiga sobre los virus... por razones curativas, *bien entendu*, la guerra biológica no se menciona para nada. Todo es humano, aceptable... redundando en mi honor. Conocidos físicos, cirujanos y químicos investigadores vienen aquí de cuando en cuando, lo mismo que hoy, para ver los resultados que hemos obtenido. El edificio ha sido construido de tal manera que una parte de él puede cerrarse de modo que aparentemente desaparezca. Los laboratorios más secretos han sido construidos en la misma roca. En cualquier caso, *yo* estoy por encima de las sospechas. —Sonrió antes de agregar sencillamente—: Sabe, soy tan rico...

—Pero ¿por qué? —quiso saber Hilaria—. ¿Por qué esa ansia de destruir?

—Yo no tengo ansia de destruir, madame. Me juzga usted mal.

—Pues entonces... no lo entiendo.

—Soy un hombre de negocios y también coleccionista —explicó monsieur Arístides con sencillez—. Cuando la riqueza es abrumadora es lo único que cabe hacer. Yo he coleccionado muchísimas cosas. Pinturas... tengo la mejor colección de Europa. Ciertas clases de cerámica. Me dediqué a la filatelia... mi colección de sellos es famosa. Cuando una colección es bastante completa, uno pasa a otra cosa. Soy un hombre viejo, y no había mucho más que coleccionar. De modo que al fin me dediqué a coleccionar *cerebros*.

—¿Cerebros?

—Sí, es lo que resulta más interesante. Poco a poco voy reuniendo aquí a todos los cerebros del mundo... *jóvenes*, esos son los que traigo aquí, madame. Hombres jóvenes, que prometen, y hombres de éxito. Un día las naciones del mundo despertarán para darse cuenta de que sus científicos son viejos y están gastados, y que todos los cerebros del mundo, los médicos, los químicos investigadores, los físicos y los cirujanos... todos están aquí bajo mi custodia. ¡Y si desean un científico, un cirujano plástico o un biólogo, tendrán que venir a comprármelo a *mí*!

—¿Quiere decir...? —Hilaria inclinóse hacia delante mirándole fascinada—. Quiere decir que todo esto es una gigantesca operación financiera?

—Sí —repuso el señor Arístides—. Naturalmente. De otro modo... no tendría éxito, ¿no le parece?

Hilaria lanzó un profundo suspiro.

—No —repuso—. Eso es lo que yo pensaba.

—Al fin y al cabo, comprenda —dijo monsieur Arístides casi disculpándose—. Es mi profesión. Soy financiero.

—¿Y quiere decir que no hay el *menor* cariz político en esto? ¿No quiere el Poder del Mundo...?

—Yo no quiero ser un dios —dijo—. Ésta es la enfermedad principal de los dictadores: se creen dioses. Por ahora yo no he contraído esa enfermedad. —Y tras reflexionar unos instantes añadió—: Puede que llegue a contraerla. Sí, es posible... pero hasta ahora... no.

—Pero, ¿cómo es posible que vengan aquí todas esas personas?

—Las compro, madame. En el mercado libre, como cuaquier otra mercancía. Algunas veces con dinero. Otras, las más, con ideas. Los jóvenes son soñadores. Tienen ideales. Sus creencias. Y también a algunos que han violado las leyes... ofreciéndoles seguridad.

—Eso lo explica —dijo Hilaria—. Quiero decir que eso explica algo que me intrigó durante mi viaje aquí.

—¡Ah! ¿Le intrigó?

—Sí. La diferencia de ideas. Any Peters, el americano, parecía completamente de izquierdas. Pero Ericson creía fanáticamente en el superhombre. Helga Needheim era una fascista arrogante y pagana. Y el doctor Barron... —vaciló.

—Sí, vino por dinero —dijo Arístides—. El doctor Barron es un ser civilizado y cínico. Deseaba tener mucho ciones. Es usted inteligente, madame. Lo comprobé en Fez.

Soltó una risita característica.

—¿No sabe que fui a Fez únicamente para observarla? O mejor dicho... la hice ir a Fez para que yo pudiera observarla.

—Ya —dijo Hilaria.

—Me satisfizo pensar que iba usted a venir aquí. Compréndame, no encuentro a muchas personas inteligentes con quien poder hablar —accionó—. Los científicos, biólogos y químicos no son interesantes. Tal vez sean genios para su trabajo, pero no resulta agradable su conversación. Sus esposas —agregó pensativo— son también muy aburridas por lo general. No me agrada que vengan aquí. Sólo les permito venir por una razón.

—¿Cuál es?

Arístides repuso secamente:

En los casos en que el esposo es incapaz de realizar su trabajo adecuadamente por pensar demasiado en su mujer. Ése parecía ser el caso de su marido. Tomás Beterton es conocido en el mundo como un hombre genial, pero desde que está aquí sólo ha realizado trabajos mediocres y sin importancia. Sí, Betterton me ha decepcionado.

—Pero, ¿no comprende lo que está ocurriendo? Esas personas, al fin y al cabo, son prisioneros. ¿No se rebelaron? Por lo menos al principio.

—Sí —convino Arístides—. Es natural e inevitable. Es lo que ocurre cuando se mete un pájaro en una jaula por primera vez. Pero si el animalito tiene una pajarera lo bastante grande, y todo lo que precisa, una compañera, grano, agua, ramitas, todo lo que constituye su vida, termina olvidándose de que alguna vez fue libre.

Hilaria se estremeció .

—Me asusta usted —le dijo.

—Aquí irá usted aprendiendo muchas cosas, madame. Permítame asegurarle que, a pesar de que todos esos hombres de distintas ideologías al llegar aquí se desilusionan, rebelándose, al final acabarán pisándose los dedos.

—No puede estar seguro de eso —dijo Hilaria.

—En este mundo uno no puede estar seguro de nada. En eso estoy de acuerdo con usted, pero de todas formas es lo que ocurre en un noventa y nueve por ciento.

La joven le miró con horror.

—¡Es espantoso! —exclamó—. Tiene usted un almacén de cerebros.

—Exacto. Lo ha definido muy bien, madame.

—Y con este almacén piensa abastecer algún día al mundo..., es decir, que proporcionará un científico a quien mejor le pague.

—Esto es a grandes rasgos el principio general.

—Pero usted no puede enviar a un científico como si fuera un esclavo.

—¿Por qué no?

—Porque una vez se encuentre en el mundo libre podía negarse a trabajar para su nuevo jefe. Volvería a ser libre.

—Eso es cierto en parte. Puede que haya que hacer... ciertos arreglos, digámoslo así.

—¿Arreglos, qué quiere decir con eso?

— ¿Ha oído hablar de la leucotomía, madame?

Hilaria frunció el ceño.

—Es una operación de cerebro, ¿verdad?

—Pues sí. Fue ideada originalmente para curar la lipemanía. Voy a explicárselo en términos que pueda entender fácilmente. Después de la operación el paciente ya no siente deseos de suicidarse ni complejo alguno de culpabilidad. Queda libre de cuidados, sin conciencia y en la mayoría de los casos se vuelve obediente.

—Pero no se obtiene ni un diez por ciento de éxitos, ¿verdad?

—Antes, no. Pero aquí hemos realizado grandes adelantos en la investigación de estas operaciones. Tengo tres cirujanos: un ruso, un francés y un austríaco. Tras varias operaciones de injertos y delicadas manipulaciones en el cerebro, se consigue llegar gradualmente a un estado en que la voluntad puede controlarse sin que necesariamente afecte a la brillantez mental. Es posible que al fin podamos conseguir que un ser humano, sin perder su poder intelectual, se muestre perfectamente dócil y que acepte cualquier sugestión que se le haga.

—¡Pero es horrible! —exclamó Hilaria—. ¡Horrible!

Él la corrigió serenamente:

—Es *útil*. E incluso beneficioso en algunos aspectos. Porque el paciente es feliz, está contento, sin temores, deseos ni inquietudes.

—Yo no creo que eso llegue a ocurrir —dijo Hilaria desafiándole.

—*Chère madame*, perdone que le diga que no es usted quién para decir eso.

—Lo que quiero decir es que no creo que un *animal* satisfecho y domable produzca nunca un trabajo creador de verdadero valor.

Arístides encogióse de hombros.

—Tal vez. Usted es inteligente. Puede que tenga algo de razón. El tiempo lo dirá. No dejan de irse realizando experimentos.

—¡Experimentos! ¿Quiere decir con seres humanos?

—Desde luego. Es el único método práctico.

—Pero..., ¿quiénes?

—Siempre hay quien no encaja —dijo Arístides—. Los que no se adaptan a la vida de aquí y no quieren cooperar. Son un buen material para experimentar.

Hilaria hundió sus dedos en los almohadones del diván. Iba sintiendo una profunda repulsión hacia aquel rostro sonriente y amarillento de mirada inhumana. Todo lo que decía era tan razonable, lógico y comercial, que aún le horrorizaba más. Aquél no era un loco, sino simplemente un hombre para el que las criaturas eran sólo material de experimentación.

—¿No cree usted en Dios? —le dijo.

—Naturalmente que creo en Dios —Arístides alzó las cejas casi sorprendido—. Ya se lo he dicho. Soy un hombre religioso. Dios me ha dotado de un poder supremo. De dinero y oportunidades.

—¿Lee usted la Biblia? —preguntó Hilaria.

—Desde luego, madame.

—¿Recuerda lo que Moisés y Aarón dijeron al faraón? *Dejad marchar a mi pueblo.*

Sonrió.

—¿De modo... que soy el faraón? ¿Y usted Moisés y Aarón en una sola pieza? ¿Es eso lo que intenta decirme, madame? Que deje marchar a esas personas, a todas..., ¿o sólo... a una en particular?

—Me gustaría decir... a todas —repuso Hilaria.

—Pero se da usted cuenta de que sería perder el tiempo. En vez de eso, ¿no es por su esposo por quien pide?

—A usted no le sirve de nada —dijo la joven—. Seguramente ya se habrá dado cuenta.

—Tal vez sea cierto lo que dice. Sí, Tomás Betterton me ha decepcionado mucho. Esperaba que su presencia aquí le hubiera devuelto la eficiencia, porque sin duda la tiene. La fama de que gozaba en América no deja lugar a dudas. Pero al parecer su venida le ha producido muy poco efecto, por no decir ninguno... No es que hable por mí mismo, desde luego, sino por los informes de las personas encargadas de saberlo. Sus hermanos en la ciencia que han trabajado con él —se alzó de hombros—. Realiza un trabajo cuidadoso, pero mediocre. Nada más.

—Hay algunos pájaros que no pueden cantar enjaulados —dijo Hilaria—. Quizás haya también científicos que no pueden concentrarse en su trabajo en ciertas circunstancias. Debe admitir que es una posibilidad razonable.

—Es posible. No lo niego.

—Entonces considere a Tomás Betterton como uno de sus fracasos y déjele volver al mundo exterior.

—Eso no es posible, madame. Todavía no estoy preparado para dar a conocer al mundo la existencia de este lugar.

—Podría hacerle jurar que guardará el secreto.

—Lo juraría..., sí. Pero no cumplirá su palabra.

—¡Oh, sí! ¡Desde luego que la *cumplirá*!

—¡Ya habló la esposa! No puede creerse en la palabra de una mujer en estas cosas. Claro que... —agregó juntando las puntas de sus dedos amarillentos y reclinándose en el diván— podría dejar un rehén aquí que le atara la lengua.

—¿Se refiere...?

—Me refiero a usted, madame. Si Tomás Betterton se fuese y usted permaneciese aquí como rehén, ¿cómo le sentaría a usted? ¿Lo aceptaría de buen grado?

Hilaria recordó el pasado. El buen Arístides no podía ver las imágenes que iban surgiendo ante sus ojos. Volvió a verse en el hospital junto a una mujer agonizante. Luego escuchando a Jessop y sus innumerables instrucciones. Si ahora existía una posibilidad de que Tom Betterton pudiera volver a la libertad ¿no sería éste el mejor modo de cumplir su misión? Porque élla sabía, lo que Arístides ignoraba, que allí no quedaría un rehén en el sentido que él aludía, puesto que ella no significaba nada para Tomás Betterton. La mujer que amara había muerto.

Alzando la cabeza, miró de hito en hito al hombrecillo sentado en el diván.

—Me quedaría de buen grado —le dijo.

—Es usted valiente, madame, y leal y abnegada. Son buenas cualidades. En cuanto a los demás —sonrió—. Ya hablaremos de ello en otra ocasión.

—¡Oh, no, no! —Hilaria escondió el rostro entre sus manos y echóse a llorar—. ¡No puedo soportarlo! ¡No puedo! Es demasiado inhumano.

—No debe alterarse, madame —la voz del anciano era tierna, casi acariciadora—. Me ha gustado poder hablarle esta noche de mis ideas y aspiraciones. Ha sido interesante ver el efecto que producen en un cerebro totalmente desprevenido. Una mente como la suya, sana, bien equilibrada e inteligente. Está usted horrorizada. Le repele. No obstante, yo creo que el sorprenderle así ha sido un plan inteligente. Al principio se rechaza la idea, luego se piensa mejor, se reflexiona, y al fin se encuentra natural; como si hubiese existido siempre este lugar común.

—¡Nunca! —exclamó Hilaria—. ¡Eso nunca! ¡Nunca! ¡Nunca!

—¡Ah! —dijo Arístides—. Habla usted con la pasión y la rebeldía que acompaña siempre a los cabellos rojos. Mi segunda esposa era pelirroja Era una mujer muy hermosa y me amaba. Es extraño, ¿verdad? Siempre he admirado a las pelirrojas. Tiene usted un cabello precioso. Hay otras cosas en usted que también me agradan. Su espíritu, su valor; el tener una mentalidad propia —suspiró—. ¡Cielos! Las mujeres me interesan muy poco en la actualidad como mujeres. Tengo un par de jovencitas que me entretienen algunas veces, pero ahora lo que prefiero es el estímulo de la compañía intelectual. Créame, señora, su presencia me ha resultado muy agradable.

—¿Suponga que repito todo lo que me ha dicho... a mi esposo?

—¡Ah, sí! Supongamos que se lo dice. Pero ¿lo haría?

—No lo sé. Yo..., ¡oh, no lo sé!

—¡Ah! —dijo monsieur Arístides—. Es usted lista. Hay ciertas cosas que las mujeres deben callar. Pero está usted cansada y trastornada. De cuando en cuando, cuando yo venga por aquí, la haré venir y discutiremos muchas cosas.

—Déjeme salir de este lugar... —Hilaria extendió las manos suplicante—. ¡Oh, déjeme salir! Lléveme con usted *cuando* se marche. ¡Por favor! ¡Por favor!

Él meneaba la cabeza tranquilamente con ligero regocijo.

—Ahora habla usted como una chiquilla —le dijo—. ¿Cómo voy a dejarla salir? ¿Cómo podría dejar que fuese contando por el mundo lo que ha visto aquí?

—¿No me creería si le jurara que no diría una palabra a nadie?

—Por supuesto que no —replicó el anciano—. Sería muy tonto si creyera nada de eso.

—No quiero estar aquí. Quiero salir de esta cárcel. Quiero marcharme.

—Pero tiene a su esposo Usted vino aquí deliberadamente para reunirse con él, y por su propia voluntad.

—Pero yo ignoraba lo que era esto. No tenía la menor idea.

—No, no tenía usted la menor idea —replicó Arístides—. Pero puedo asegurarle que este mundo particular en el que ha penetrado es mucho más agradable que la vida tras el Telón de Acero. ¡Aquí tiene todo lo que necesita! Lujos, un clima admirable, distracciones...

Se puso en pie dándole unos golpecitos sobre el hombro.

—Ya se acostumbrará. ¡Ah, sí! El pájaro de rojo plumaje se acostumbrará. Dentro de un año, dos a lo sumo, será muy feliz. Aunque tal vez —agregó pensativamente—

Capítulo XIX

I

HILARIA se despertó sobresaltada la noche siguiente. Se incorporó apoyándose en un codo para escuchar.

—Tom —gritó para que la oyera desde la otra habitación—, ¿oyes?

—Sí. Son aviones... que vuelan bajos. No tiene nada de particular. Vienen de cuando en cuando.

—Quisiera saber... —no terminó la frase.

Permaneció despierta recordando su extraña entrevista con Arístides.

Aquel viejo sentía por ella una especie de caprichosa simpatía.

¿Podría ella aprovecharse de esta ventaja?

¿Conseguiría que la llevase con él al mundo exterior?

La primera vez que la mandara llamar, le induciría a hablar de su esposa pelirroja. Ahora ya no le impresionaba la belleza. Su sangre era demasiado fría para eso. Además tenía a sus «jovencitas», pero le agradaba recordar... y charlar de tiempos pasados...

Su tío Jorge que vivía en Cheltenham...

Sonrió en la oscuridad recordando a tío Jorge.

¿Es que tío Jorge y Arístides, el hombre de los millo-

nes, eran acaso muy distintos? Tío Jorge tenía un ama
de llaves... una mujer sencilla y agradable, querida, nada
excéntrica o llamativa, *en absoluto, pero* sana, sencilla y
agradable. Mas tío Jorge sorprendió a toda la familia casándose con ella, porque le había sabido escuchar...

¿Qué le dijo Hilaria a Tom? «Yo buscaré un medio de
salir de aquí.» ¡Qué curioso, que ese medio resultara ser
Arístides...!

II

—Un mensaje —dijo Leblanc—. Al fin un mensaje.

Un asistente acababa de entrar y tras saludarle, dejó
un papel doblado sobre la mesa, cuya lectura le hizo decir excitado:

—Es un informe de uno de nuestros pilotos de reconocimiento. Ha estado volando sobre la zona del Gran Atlas
que le señalamos. Cuando volaba sobre ciertos puntos de
la cordillera observó una señal luminosa. Eran signos mor-
se; se repitieron dos veces. Aquí tiene.

Y le tendió el papel a Jessop.

COGLEPROSERIASL.

Separó las dos últimas letras con lápiz.

—SL... en nuestra clave quiere decir: No contestar.

—Y las letras COG con que empieza el mensaje —dijo
Jessop—, son nuestro saludo.

—Entonces el resto constituye el mensaje. LEPROSE-
RÍA —quedó indeciso.

—¿Leprosería? —repitió Jessop.

—¿Y qué significa eso?

—¿Tienen ustedes alguna colonia importante de leprosos? ¿O aunque no sea importante?

Leblanc extendió un gran mapa ante él, en el que fue

señalando con el dedo índice manchado por la nicotina.

—Aquí... es donde estuvo volando nuestro piloto. Veamos —señaló la zona—. Me parece recordar...

Salió de la estancia, volviendo al cabo de unos minutos.

—Ya lo tengo —le dijo—. Existe una famosa estación de investigaciones médicas, fundada en esta zona... que por cierto es casi desierta. Se han realizado trabajos muy valiosos sobre el estudio de la lepra. Hay una leprosería en la que albergan unas doscientas personas. También se investiga sobre el cáncer, y tienen un sanatorio tuberculoso. Pero entienda bien esto, todo es auténtico. Su reputación es inmejorable. El mismo presidente de la república es su protector.

—Sí —replicó Jessop apreciativamente—. Una obra muy meritoria.

—Está abierta a la inspección en cualquier momento. Médicos y hombres de ciencia interesados en estas cosas la visitan a menudo.

—¡Y no ven nada de lo que no deben ver! ¿Por qué habían de verlo? No existe mejor enmascaramiento para los negocios sucios que una atmósfera de la mayor respetabilidad.

—Podría ser, supongo, un lugar adecuado, para hacer alto en un viaje. Tal vez un par de doctores centroeuropeos lo hayan hecho así. Un pequeño grupo de personas, semejantes a las que buscamos, podrían *perderse* allí durante unas semanas antes de continuar su viaje.

—¿Usted cree que se trata de algo... grande?

—Una colonia de leprosos me resulta muy sugestiva... Tengo entendido que, con los tratamientos modernos, la lepra hoy en día se cura a domicilio.

—En los países civilizados, es posible. Pero no podría hacerse en este país.

—No. Pero la palabra leprosería todavía se asocia con

la Edad Media. cuando los leprosos llevaban una campanilla para advertir·a las gentes de su paso. La curiosidad
no arrastra a la gente a una colonia de leprosos; la gente
que vaya allí, ha de ser, como usted ha dicho, médicos
interesados únicamente por las investigaciones que allí se
llevan a cabo, y posiblemente alguna persona ansiosa por
dar a conocer al mundo las condiciones en que viven los
leprosos... y que sin duda son admirables. Tras esa fachada de filantropía y de caridad... puede ocultarse cualquier
cosa. A propósito, ¿quién es el dueño de ese lugar? ¿Quiénes son los filántropos que lo levantaron y lo patrocinan?

—Eso es fácil de averiguar. Un momento.

Volvió a los pocos momentos con un libro de referen-
cias en la mano.

—Fue establecido por una empresa particular..., por un
grupo de filántropos cuya cabecilla es Arístides. Como usted sabe es un hombre que posee una inmensa fortuna
y la emplea generosamente en obras de caridad. Ha fun-
dado hospitales en París y también en Sevilla. Y ésta es
otra de sus obras..., aunque se haya asociado también otro
grupo de benefactores.

—De modo que... es cosa de Arístides. *Y Arístides estuvo en Fez al mismo tiempo que Olivia Betterton.*

—¡Arístides! —Leblanc saboreó con fruición aquella
coincidencia—. *Mais c'est colossal!*

—Sí.

—*C'est fantastique!*

—Desde luego.

—*Enfin... c'est formidable!*

—Definitivo.

—¿Pero se da usted cuenta de lo formidable que es?
—Leblanc, muy excitado, agitó el índice ante su rostro—.
Este Arístides tiene que meter el dedo en todos los pas-
teles. Está detrás de casi todo. Los Bancos, el gobierno,

las fábricas de armamento, los transportes. Nunca se le ve, y apenas se oye hablar de él. Se sienta fumando en una de las cálidas habitaciones del castillo que tiene en España, y de cuando en cuando escribe unas palabras en un pedazo de papel que arroja al suelo, y que su secretario recoge a gatas, lo lee, y pocos días después otro Banco de París que quiebra aparatosamente. ¡Es así!

—Qué dramático es usted, Leblanc. Pero la verdad no tiene nada de sorprendente. Presidentes y ministros toman importantes acuerdos; opulentos banqueros sentados tras sus suntuosos escritorios toman resoluciones trascendentales... pero a nadie le sorprende... descubrir que tras aquella magnificencia se oculta un minúsculo hombrecillo que es quien manda en realidad. No es tan sorprendente averiguar que tras todo este asunto de las desapariciones... esté Arístides..., a decir verdad, de haber tenido algo más de sentido común, se nos hubiera ocurrido pensarlo antes. Todo esto es un negocio de gran envergadura. Nada político. La pregunta es... —agregó—, ¿qué vamos a hacer?

Leblanc se puso grave.

—¿Comprende? No va a resultar sencillo. Si estamos equivocados... no me atrevo ni a pensarlo. E incluso en el caso de estar en lo cierto... tendremos que *probarlo*. Si realizamos investigaciones... Deberán ser en gran escala... ¿Comprende? No, no va a ser fácil..., pero —volvió a extender el índice con énfasis— lo haremos.

Capítulo XX

Los automóviles fueron subiendo la carretera de la montaña hasta detenerse ante la gran puerta de hierro empotrado en la misma roca. Eran cuatro.

En el primero iba el ministro francés y el embajador americano; en el segundo el cónsul británico, un miembro del Parlamento y el jefe de policía. El tercer automóvil lo ocupaban dos miembros de una antigua comisión real y dos distinguidos periodistas. El sitio restante de estos automóviles estaba reservado a los satélites necesarios. El cuarto contenía ciertas personas desconocidas para el público en general, pero con fama suficiente dentro de su esfera. Entre ellas se encontraban el capitán Leblanc y el señor Jessop. Los chóferes, impecablemente uniformados, se apresuraron a abrir las portezuelas para que se apearan los distinguidos visitantes.

—Espero —murmuró el ministro con aprensión— que no haya posibilidad de contagio sea de la clase que sea.

Uno de los satélites apresuróse a tranquilizarle.

—Du tout, monsieur le ministre. Se han tomado todas las precauciones posibles. Se inspecciona todo, pero sólo a distancia.

El ministro, que era de edad algo avanzada y muy aprensivo, pareció tranquilizarse. El embajador dijo algo acerca de la mejor comprensión y tratamiento de estas enfermedades en la actualidad.

Las grandes puertas se abrieron. En ellas les aguardaba un pequeño grupo para darles la bienvenida. El director, moreno y corpulento. El subdirector, grueso y rubio, dos doctores y mi eminente investigador químico. Los saludos fueron en francés, floridos y prolongados.

—¿Y *ce cher Arístides*? —preguntó el ministro—. Espero que su indisposición no le prive de cumplir su compromiso de encontrarse aquí con nosotros.

—El señor Arístides llegó ayer de España en avión —dijo el subdirector—. Les espera dentro. Permitidme, Excelencia... *monsieur le ministre*, que le muestre el camino. ¿Quiere seguirme?

Los visitantes le siguieron. *Monsieur le ministre*, que era algo apresivo, dirigió su mirada al enrejado metálico que había a su derecha. Los leprosos estaban alineados lo más lejos posible del mismo. Respiró. Sus sentimientos acerca de los leprosos seguían siendo medievales.

En el bien amueblado vestíbulo, de gusto moderno, el señor Arístides aguardaba a sus invitados. Hubo reverencias, saludos, presentaciones... Fueron servidos aperitivos por los criados de tez morena, vestidos con ropajes y turbantes inmaculados.

—Este lugar es maravilloso, señor —dijo uno de los periodistas más joven a Arístides.

Este último hizo un ademán muy oriental.

—Me siento orgulloso de él —repuso—. Es, como pudiéramos decir, mi canción del cisne. Mi último regalo a la humanidad. No se ha reparado en gastos.

—Es cierto —dijo uno de los médicos con calor—. Este sitio es el sueño de todo profesional. En los Estados Unidos lo hacemos bastante bien, pero lo que he visto desde

que llegué aquí... ¡estamos obteniendo resultados! Sí, señor, desde luego los obtenemos.

Su entusiasmo era contagioso.

—Debemos expresar toda nuestra admiración por esta
empresa particular —dijo el embajador inclinándose cortésmente ante Arístides.

—Dios ha sido muy bueno conmigo —repuso el aludido, con humildad.

Sentado en su silla daba la impresión de un sapo amarillento. El miembro del Parlamento murmuró al oído del
comisario real, que era un hombre sordo y muy viejo,
que Arístides era toda una paradoja.

—Este viejo pillastre ha arruinado probablemente a
millones de personas —musitó—, y habiendo hecho tanto dinero no sabe qué hacer con él y lo devuelve con la
otra mano.

El otro le respondió:

—Uno se pregunta hasta qué punto está justificado el
aumento de los gastos. La mayoría de los grandes descubrimientos que han beneficiado a la humanidad fueron
hechos con equipos sencillos.

—Y ahora —dijo Arístides cuando hubieron terminado
los aperitivos—, me harán el honor de participar de un
humilde refrigerio que les aguarda. El doctor Van Heidem
les hará los honores. Yo estoy a dieta y como muy poco
estos días. Luego visitarán nuestras dependencias.

Bajo la dirección del genial doctor Van Heidem, los invitados penetraron con entusiasmo en el comedor. Habían
estado volando dos horas, a las que había que agregar
una hora de viaje en automóvil, y estaban todos hambrien-
tos. La comida fue deliciosa y comentada con especial
aprobación por parte del ministro.

—Disfrutamos de modestas comodidades —dijo Van
Heidem—. Dos veces por semana nos traen frutas y ver-

duras frescas en avión, tenemos carne y pollo, y desde luego, sustancias de muchas calorías. El cuerpo las necesita para poder dedicarse a la ciencia.

La comida fue acompañada con vinos escogidos. Luego le sirvieron café turco. Entonces se propuso comenzar la inspección. El recorrido duró dos horas, y el ministro, aturdido por los brillantes laboratorios, los corredores interminables y todavía más por la cantidad de detalles científicos que, ampliamente en todos los órdenes, le fueron proporcionados.

A pesar que el interés del ministro era superficial, algunos de los otros quisieron conocer más detalles. Se había despertado cierta curiosidad por saber cuáles eran las condiciones de vida del personal. El doctor Van Heidem mostróse gustosísimo de enseñar a los visitantes todo lo que había que ver. Leblanc y Jessop, el primero acompañaba al ministro y el segundo al cónsul inglés, se rezagaron un poco mientras los otros doblaban un recodo para volver al vestíbulo. Jessop sacó un reloj de bolsillo anticuado y de ruidoso tic-tac para mirar la hora.

—Aquí no hay rastro alguno —murmuró Leblanc, nervioso.

—Ni la menor señal.

Mon cher, ¡qué catástrofe si nos hemos equivocado de puerta, como usted dice! Después de las semanas que ha costado organizar todo esto! En cuanto a mí... será el fin de mi carrera.

—Todavía no me doy por vencido —repuso Jessop—. Nuestros amigos están aquí, estoy seguro.

—No hay el menor rastro de ellos.

—Naturalmente. No pueden permitirse el lujo de que dejen rastro. Para estas revistas oficiales se arregla todo convenientemente.

—¿Entonces cómo vamos a conseguir las pruebas? Créame, sin pruebas nadie se ocupará del asunto. Todos son escépticos. El ministro, el embajador americano, el cónsul inglés..., todos dicen que un hombre como Arístides está por encima de toda sospecha.

—Calma, Leblanc, calma. Le digo que todavía no me doy por vencido.

Leblanc alzóse de hombros.

—Es usted muy optimista, amigo —le dijo, un tanto escéptico.

Luego volvióse para hablar un momento con un joven de cara de luna e impecablemente ataviado que formaba parte del cortejo. Cuando miró de nuevo a Jessop vio que éste sonreía y le preguntó extrañado:

—¿Por que sonríe?

—Me sonrío de los recursos de la ciencia... para ser más exactos de la última modificación del contador de Geiger.

—No soy científico.

—Ni yo tampoco, pero este sensible detector de la radiactividad me dice que nuestros amigos están aquí. Este edificio ha sido construido en forma desconcertante. Todos los pasillos y habitaciones son tan parecidos que es difícil saber dónde se está y en qué planta. Existe una parte de este edificio que no hemos visto..., que no nos la han enseñado.

—¿Pero usted deduce que es así gracias a alguna indicación radiactiva?

—Exacto.

—En resumen, ¿otra vez las perlas de madame?

—Sí. Seguimos jugando a Hansel y Gretel. Pero aquí no podía dejar signos tan aparentes como las cuentas de un collar de perlas o una mano de pintura fosforescente. Los que han dejado aquí no pueden ser vistos, pero sí percibidos... por nuestro detector radiactivo...

—Pero... monsieur Jessop, ¿es eso suficiente?

—Debiera serlo —replicó el policía—. Lo que uno teme es que...

Leblanc terminó la frase por él.

—...que estas personas no quieran creerlo. Se han mostrado reacias desde el principio. ¡Oh, sí, eso es! Incluso su cónsul inglés es un hombre prudente. En muchos aspectos los representantes de su gobierno en nuestro país están en deuda con Arístides. Y en cuanto al nuestro... —se encogió de hombros—. Sé que *monsieur le ministre* será muy difícil de convencer.

—Nosotros no ponemos nuestra fe en los gobiernos —replicó Jessop—. Los gobernantes y diplomáticos tienen las manos atadas. Pero teníamos que traerlos aquí porque son los únicos que tienen autoridad. Pero en cuanto a credulidad se refiere, tengo puesta mi confianza en otra parte.

—¿Y dónde la ha puesto, amigo mío?

El rostro de Jessop exhibió una sonrisa.

—En la Prensa —dijo—. Los periodistas andan a la caza de noticias. No desean que se silencien las cosas. Siempre están dispuestos a creer cualquier cosa que cueste creer. Y la otra persona en quien tengo fe —continuó— es en ese hombre tan sordo.

—Ajá, ya sé a quién se refiere. Ese que tiene aspecto de andar con un pie en la tumba.

—Sí, es sordo y casi ciego. Pero tiene interés por conocer la verdad. Es un antiguo lord Presidente de Sala, y a pesar de ser sordo, ciego y de que le tiemblan las piernas, conserva la cabeza tan despejada como siempre..., posee esa inteligencia viva y sagaz... que adivina cuando hay algo extraño en un asunto y alguien procura que no sea descubierto. Es un hombre que nos escuchará, y *querrá* escuchar.

Habían vuelto a entrar en el vestíbulo. Les fueron servidos té y aperitivos. El ministro felicitó al señor Arístides.

El embajador americano se agregó a él. Y fue entonces cuando el ministro, mirando a su alrededor, dijo con voz ligeramente nerviosa:

—Y ahora, caballeros, creo llegado el momento de dejar a nuestro amable anfitrión. Hemos visto *todo lo que hay que ver*... —el tono en que pronunció estas palabras era significativo—. Todo es magnífico. ¡Un establecimiento de primer orden! Le estamos muy agradecidos por su hospitalidad y le felicitamos por los adelantos obtenidos. Ahora nos despediremos de él y partiremos sin dilación. ¿Tengo razón o no la tengo?

Las palabras en sí eran bastante convencionales. Y la mirada que dirigió a la reunión de invitados pudo no haber sido otra cosa que cortés. No obstante, en realidad fueron una súplica. En efecto, el ministro decía:

—Ya han visto ustedes, caballeros, que aquí no hay nada de lo que temían y sospechaban. Es un gran alivio y ahora podemos marcharnos con la conciencia tranquila.

Mas en medio del silencio se alzó la voz educada, sencilla, respetuosa, del señor Jessop. Se dirigió al ministro en francés correcto, aunque con acento inglés.

—Con su licencia, señor —dijo—, si es posible, quisiera pedir un favor a nuestro amable anfitrión.

—Desde luego, desde luego. Sí, señor... ah... señor Jessop... sí, diga.

Jessop dirigióse solemnemente al doctor Van Heidem, evitando mirar a Arístides.

—Hemos visto a tantas personas —le dijo—. Casi estoy aturdido. Pero está aquí un viejo amigo mío, con quien me gustaría charlar un rato. Quisiera saber si podría hacerlo antes de marchar.

—¿Un amigo suyo? —exclamó Van Heidem cortésmente, pero sorprendido.

—Bueno, en realidad son dos —replicó Jessop—. También está aquí una mujer, la señora Betterton. Olivia Betterton. Creo que su esposo trabaja aquí. Tom Betterton. Estuvo en Harwell y anteriormente en América. Me agradaría mucho poder hablar con ellos antes de marcharme.

La reacción del doctor Van Heidem fue perfecta. Sus ojos se abrieron con sorpresa y luego frunció el entrecejo diciendo:

—Betterton..., señora Betterton..., no, creo que no hay nadie aquí con ese nombre.

—Está también un americano —insistió Jessop—. Andy Peters. Químico investigador, creo que es su especialidad. ¿No es así, señor? —volvióse con gran deferencia al embajador americano.

El embajador era un hombre de mediana edad, muy sagaz y de ojos azules. Era dueño de un gran carácter, así como de mucha diplomacia. Sus ojos se encontraron con los de Jessop. Tardó un minuto entero en responder.

—Pues, sí —dijo—. Es cierto, Andy Peters se llama, y me agradaría verle.

Van Heidem parecía cada vez más asombrado. Jessop dirigió una rápida mirada a Arístides. Su pequeño rostro amarillento no expresaba sorpresa, ni inquietud. Parecía interesado.

—¿Andy Peters? No, temo, Excelencia, que esté usted en un error. No tenemos aquí a nadie que se llame así. Ni siquiera conozco ese nombre.

—Pero sí conoce el de Tomás Betterton, ¿verdad? —intervino Jessop.

Van Heidem vaciló un solo instante. Volvió ligeramente la cabeza hacia donde estaba el anciano, pero se rehízo a tiempo.

—Tomás Betterton —repitió—. Pues sí, creo...

Uno de los caballeros de la Prensa habló rápidamente:

—¡Tomás Betterton! —exclamó—. Vaya, yo diría que

armó un gran revuelo hace seis meses cuando desapareció. Vaya, ¡si ha estado ocupando los titulares de todos los periódicos de Europa! La policía le ha buscado por todas partes. ¿Quiere usted decir que ha estado aquí durante todo ese tiempo?

—No —intervino Van Heidem en tono tajante—. Me temo que alguien les ha estado informando mal. Quizás haya sido una broma. Ustedes han visto ya a todos los que trabajan en la Unión. Lo han visto todo.

—Me parece que todo, no —replicó Jessop, con calma—. También hay aquí otro hombre llamado Ericson —agregó—. Y el doctor Luis Barron y, posiblemente, la señora Calvin Baker.

—¡Ah! —el doctor Van Heidem pareció comprender al fin—. Pero estas personas murieron en Marruecos... en un accidente de aviación. Ahora lo recuerdo perfectamente. Por lo menos recuerdo los nombres de Ericson y Luis Barron. ¡Ah! Francia experimentó una gran pérdida ese día. Un hombre como el doctor Barron es difícil de reemplazar —meneó la cabeza—. No sé nada referente a la señora Calvin Baker, pero me parece recordar que en ese aparato iba una mujer inglesa o americana. Pudiera tratarse quizá de la señora Betterton que usted ha nombrado. Sí, fue muy lamentable —miró interrogadoramente a Jessop—. Ignoro, monsieur, por qué supone usted que esas personas venían aquí. Es posible que ese doctor Barron mencionara en alguna ocasión su propósito de visitar nuestro establecimiento mientras estuvo en el Norte de África, y es posible que la referida mención pudiera dar lugar a un malentendido.

—¿Entonces usted me dice que estoy equivocado? —preguntóle Jessop—. Que ninguna de estas personas se encuentra aquí.

—¿Pero cómo quiere que estén, mi querido amigo, si

todos fallecieron en ese accidente de aviación? Creo que se encontraron los cadáveres...

—Estaban demasiado carbonizados para que pudieran ser identificados. —Jessop pronunció estas palabras con intención.

Hubo un movimiento a sus espaldas y una voz precisa, fina y acentuada, dijo:

—¿Dice usted que no hubo identificaciones? —lord Alverstoke inclinóse hacia delante, mientras con la mano hacía pabellón junto al oído y sus ojillos inteligentes se fijaban en Jessop.

—No pudo haberla, milord —repuso Jessop—, y tengo razones para creer que esas personas sobrevivieron al accidente.

—¿Usted lo cree? —dijo lord Alverstoke con cierto desagrado.

—Tengo pruebas de que sobrevivieron.

—¿Pruebas? ¿De qué clase, señor... Jessop?

—La señora Betterton llevaba un collar de perlas falsas el día que salió de Fez para dirigirse a Marraquex —dijo el policía—. Una de esas perlas fue encontrada a una distancia de media milla del lugar donde se incendió el aparato siniestrado.

—¿Cómo puede asegurar que la perla encontrada perteneciera al collar de la señora Betterton?

—Porque todas las perlas de ese collar tenían una marca imperceptible a simple vista pero fácil de distinguir con una lente de aumento.

—¿Quién puso esas marcas?

—Yo, lord Alverstoke, en presencia de mi colega aquí presente, monsieur Leblanc.

—Usted puso esas marcas..., ¿tuvo alguna razón para señalar esas perlas de un modo especial?

—Sí, milord. Tenía razones para creer que la señora Betterton me conduciría hasta su esposo, Tomás Betterton, contra el cual hay una orden de detención —contestó Jessop—. Aparecieron otras dos perlas. Cada una de ellas en distintos puntos de la ruta que une el lugar donde se incendió el avión y el establecimiento en que ahora nos encontramos. Hechas averiguaciones en los lugares en que aparecieron dichas perlas, nos fue facilitada la descripción de seis personas que reunían unas características aproximadas a las de las seis que se suponía perecieron en el accidente. Uno de esos pasajeros llevaba un guante impregnado de una pintura fosforescente. Y dicha marca fue encontrada en el automóvil que transportó a dichos pasajeros durante una de las etapas de su viaje cuyo destino era este lugar.

Lord Alverstoke observó en tono seco y judicial:

—Muy interesante.

En su enorme sillón, Arístides removióse inquieto. Sus ojos parpadearon varias veces rápidamente. Luego hizo una pregunta:

—¿Dónde encontraron las últimas huellas de ese grupo de personas?

—En un aeródromo abandonado, señor —le indicó el lugar preciso.

—Eso está a millas de distancia de aquí —dijo Arístides—. Dando por supuesto que sus interesantes averiguaciones fuesen exactas, y que por alguna razón el accidente fuese simulado, imagino que esos pasajeros emprenderían el vuelo desde ese aeródromo abandonado hacia algún punto desconocido. Puesto que no hay aeropuerto alguno en estos alrededores, y el más cercano se encuentra a cientos de millas de aquí, la verdad, no puedo comprender en qué basa su creencia para asegurar que esas personas se encuentran aquí. ¿Por qué habrían de estar aquí?

—Hay varias razones, señor. Uno de nuestros aviones

recogió una señal. Se lo comunicaron a monsieur Leblanc. Empezaba con una señal de nuestra clave de reconocimiento, y se nos comunicaba que esas personas en cuestión estaban en una leprosería.

—Lo encuentro interesante —dijo Arístides—. Muy interesante. Pero me parece que sin duda alguna han querido despistarle. Esas personas no están aquí —habló con tranquila decisión—. Tiene usted plena libertad para registrar todo el establecimiento.

—Dudo de que consiguiera encontrar nada, señor —replicó Jessop—. Es decir, revisándolo superficialmente —agregó—. Sé en qué zona debe comenzar la búsqueda.

—¿De veras? ¿Y dónde está eso?

—En el cuarto pasillo del segundo laboratorio torciendo a la·izquierda y al final del corredor que hay allí.

El doctor Van Heidem hizo un brusco movimiento y dos vasos que estaban sobre la mesa cayeron al suelo haciéndose añicos. Jessop le miró sonriente.

—Ya ve, doctor, que estamos bien informados.

—Eso es absurdo —exclamó Van Heidem—. Absurdo. Usted insinúa que nosotros retenemos a las personas contra su voluntad. Lo niego categóricamente.

El ministro dijo molesto:

—Parece que hemos llegado al *impasse*.

El señor Arístides dijo con calma:

—Ha sido una teoría muy interesante. Pero es sólo una teoría —miró el reloj—. Me perdonarán ahora si les sugiero que ya es hora de que partan. Tienen un largo camino hasta el aeropuerto, y se alarmarán si su avión se retrasa.

Pero Leblanc y Jessop comprendieron que había llegado el momento de descubrir la verdad. Arístides exhibía toda la fuerza de su considerable personalidad, temiendo que aquellos hombres se negaran a marchar. Y de quedarse su intención era descubrirle. El ministro estaba deseoso de capitular. El jefe de policía sólo quería agradar al ministro. El embajador americano no estaba satisfecho, pero también vacilaba en insistir por razones diplomáticas. Y el cónsul inglés estaría de completo acuerdo con los anteriores.

Los periodistas... Arístides pensó en ellos. ¡Los periodistas! Puede que su precio fuese elevado, pero era de la opinión de que podían comprarse. Y si no se dejaban sobornar... bueno, había también otros medios...

Y en cuanto a Jessop y Leblanc, lo sabían todo. Era evidente, mas no actuarían sin la ayuda de la autoridad. Sus ojos se encontraron con los del hombre tan viejo como él, pero inteligente y despierto Aquel hombre no podía comprarse. Pero al fin y al cabo... Sus pensamientos fueron interrumpidos por el sonido de una vocecita fría, lejana y muy clara.

—Soy de la opinión de que no debemos apresurar nuestra marcha —dijo—. Porque aquí hay un caso que al parecer requiere ser investigado más a fondo. Se han hecho graves alegaciones y considero que no pueden pasarse por alto. Hay que aprovechar toda oportunidad para que sean comprobadas.

—El único que pide pruebas es usted —dijo Arístides haciendo un gracioso gesto hacia los demás—. Se acaba de hacer una acusación absurda, sin la menor base en qué apoyarla.

—No sin base.

El doctor Van Heidem volvióse en redondo. Uno de los criados árabes se había adelantado. Tenía una hermosa figura con sus ropajes blancos bordados en oro y el turbante que envolvía su cabeza hacía resaltar un rostro moreno.

Todos los reunidos le miraron asombrados, pues de

aquellos labios ocultos salía una voz de origen puramente transatlántico.

—No sin base —repitió—. Pueden tomarme por testigo. Estos caballeros han negado que Andy Peters, Torquil Ericson, los señores Betterton y el doctor Luis Barron estuvieran aquí. Eso es falso. *Todos* se encuentran aquí... y yo les hablo en su nombre —dio un paso en dirección al embajador americano—. Es posible que, de momento, le cueste reconocerme, señor —le dijo—, pero yo soy Andy Peters.

Un ligero silbido parecido al de una serpiente brotó de los labios de Arístides que, reclinándose en su sillón, volvió a quedar impasible.

—Hay una gran cantidad de gente oculta en este lugar —continuó Peters—. Schwartz, de Munich, Helga Needheim, Jeffreys y Davidson, los científicos ingleses. Paul Wade, de los Estados Unidos, y también los italianos Richotetti y Bianca; Murchison... Todos se encuentran en este edificio. Existe un sistema para correr uno de los paneles de la pared que es imposible de distinguir a simple vista. Hay una serie de laboratorios secretos excavados en la misma roca.

—Dios nos asista —musitó el embajador americano, que miró inquisidoramente a la figura del árabe y luego echóse a reír—. Ni siquiera ahora le reconozco —le dijo.

—Es por la inyección de parafina que me he aplicado a los labios, aparte del pigmento negro.

—Si es usted Peters, ¿cuál es el número que le corresponde en el F.B.I.?

—El 813.471, señor.

—Cierto —replicó el embajador—, ¿y las iniciales de su otro nombre?

—B. A. P. G., señor.

El embajador asintió.

—Este hombre es Peters —dijo mirando al ministro.

El ministro vaciló y luego aclaró su garganta.

—¿Usted asegura que estas personas fueron retenidas aquí contra su voluntad? —preguntó a Peters.

—Algunos están aquí por gusto, Excelencia; otros, no.

—En este caso —continuó el ministro—, hay que tomar declaraciones... eh... sí, sí, sí, desde luego hay que tomarlas.

Miró al prefecto de la policía, que se adelantó.

—Un momento, por favor —Arístides alzó la mano—. Me parece —dijo con voz tranquila y precisa— que aquí se ha traicionado grandemente mi confianza —su fría mirada se detuvo en Van Heidem y el director implacable y dominante—. Y en cuanto a lo que ustedes se han permitido hacer en su entusiasmo por la ciencia, todavía no lo veo del todo claro, caballeros. Al patrocinar este centro lo hice puramente por bien de los investigadores. Nada tengo que ver con su política. Le advierto, señor director, que si esta acusación es cierta, será mejor que traiga inmediatamente a esas personas que suponen se encuentran aquí contra su voluntad.

—Pero, monsieur, es imposible. Yo... sería...

—Es necesario —replicó Arístides paseando su mirada por los allí reunidos—. No es preciso que les asegure, monsieurs, que si aquí hay algo ilegal, *yo* lo ignoraba en absoluto.

Era una orden, y comprendida como tal a causa de su riqueza, su poder y su influencia. El señor Arístides, aquel famoso personaje mundial, no se vería complicado en aquel asunto. No obstante, a pesar de que escapara sin graves daños, aquello era su derrota. El fracaso de sus propósitos, el fracaso de aquel almacén de cerebros del que esperaba sacar tantos beneficios. Arístides no se abatía ante un fracaso. Ya le había ocurrido otras veces durante el curso de su carrera. Siempre los aceptaba con filosofía y disponiéndose a preparar el próximo «golpe».

Hizo un gesto oriental.

—Me lavo las manos en este asunto —dijo.

El prefecto de policía se adelantó. Ahora debía actuar. Sabía cuáles eran las instrucciones y estaba dispuesto a llevarlas a cabo con toda la fuerza de su posición oficial.

—Es mi deber investigar a fondo —dijo.

Con el rostro muy pálido, Van Heidem se adelantó.

—Si tiene la amabilidad de venir por aquí —le indicó— Le mostraré nuestras dependencias reservadas.

CAPÍTULO XXI

O H!, me siento como si despertara de una pesadilla
suspiró Hilaria.

Alzó los brazos por encima de su cabeza. Se encontraban sentados en la terraza de un hotel de
Tánger. Habían llegado aquella misma mañana en avión.

—¿Ocurrió todo eso? ¡Es imposible! —continuó la joven.

—Sí, ha sucedido —le contestó Tom Betterton—; pero
estoy de acuerdo contigo, Olivia, en que parece una pesadilla. ¡Ah, bueno!, ahora ya he salido de allí.

Jessop se acercó a la terraza, yendo a sentarse con ellos.

—¿Dónde está Andy Peters? —preguntó Hilaria.

—No tardará en venir —repuso el policía—. Tenía algunos asuntos que atender.

—De modo que Peters era uno de los suyos —dijo Hilaria—, y fue quien dejó las señales fosforescentes y además llevaba una pitillera de plomo que lanzaba material
radiactivo. Nunca me dijo nada.

—No —repuso Jessop—; fueron los dos muy discretos.
Hablando con exactitud, no es de los míos. Representa a
los Estados Unidos.

—¿Se refirió a él cuando me dijo que si conseguía llegar hasta Tom esperaba que encontrase protección

Jessop asintió.

—Espero que no me reproche el no haber proporcionado el final deseado a su experiencia.

Hilaria le miró extrañada.

—¿Qué final?

—Un medio más deportivo de suicidarse.

—¡Oh, eso! —sacudió la cabeza—. Ahora me parece tan absurdo como todo lo demás He sido Olivia Betterton durante tanto tiempo que me resulta extraño volver a ser Hilaria Craven.

—¡Ah! —exclamó Jessop—. Ahí está mi amigo Leblanc. Debo ir a hablar con él.

Y dejándoles se alejó por la terraza. Tom Betterton dijo a toda prisa:

—Haz una cosa más por mí, ¿quieres, Olivia? Todavía sigo llamándote Olivia... es la fuerza de la costumbre.

—Sí, desde luego. ¿Qué es ello?

—Sal conmigo de la terraza y luego vuelve y di que he subido a mi habitación para descansar un rato.

—¿Por qué? —le miró interrogadoramente—. ¿Qué vas a hacer...?

—Me marcho, querida, mientras pueda hacerlo.

—¿A dónde?

—A cualquier parte.

—Pero, ¿por qué?

—Piensa un poco. Ignoro cuál es mi estado legal aquí. Tánger es un lugar extraño que no está bajo la jurisdicción de ningún país particular. Pero sé lo que ocurrirá de ir con vosotros a Gibraltar. En cuanto llegara me arrestarían, tenlo por seguro.

Hilaria le miró preocupada. Con la excitación de haber escapado de la Unión, había olvidado los problemas de Tom Betterton.

—¿Te refieres a la Oficina de Asuntos Secretos o como

la llamen? Pero no esperarás poder escapar, ¿verdad, Tom? ¿A dónde puedes ir?

—Ya te lo he dicho. Adonde sea.

—Pero, ¿es eso posible hoy en día? Hay que pensar en el dinero y en toda esa clase de dificultades.

—En cuanto al dinero no tengo por qué preocuparme —rió—. Está en lugar seguro donde poder recogerlo y bajo otro nombre.

—¿De modo que aceptaste dinero?

—Pues claro.

—Pero te seguirán.

—Les costará bastante. ¿No comprendes, Olivia, que la descripción que tienen de mí es completamente distinta a mi aspecto actual? Por eso es lo más importante, ¿no ves? Salir de Inglaterra, ingresar una buena suma de dinero en un Banco y hacer que mi aspecto cambiara de tal forma que pudiera considerarme seguro para toda la vida.

—Te equivocas —le dijó—. Estoy segura de que estás equivocado. Sería mejor que regresaras para hacer frente a los hechos. Al fin y al cabo ya no estamos en tiempo de guerra. Supongo que tu condena sería corta. ¿Para qué quieres vivir huyendo el resto de tu vida?

—Tú no lo comprendes —le dijo—. No comprendes nada en absoluto. Vamos ahora mismo, no hay tiempo que perder.

—Pero ¿cómo vas a salir de Tánger?

—Ya me las arreglaré. No te preocupes.

Hilaria se puso en pie y caminó junto a él. Sentíase inquieta y sin saber qué decir. Había llevado a cabo todo lo que dijera Jessop y aquella mujer agonizante. Olivia Betterton. Ahora ya no le quedaba nada que hacer. A pesar de haber pasado durante semanas como la mujer de Tom Betterton, se daba cuenta de que seguían siendo dos extraños. No les unía el menor lazo de compañerismo o amistad.

Llegaron al extremo de la terraza. Allí había una puertecita lateral por la que se salía a una estrecha carretera que bajaba por la colina hasta el puerto.

—Me marcharé por aquí —dijo Betterton—. Nadie nos observa. Hasta la vista.

—Buena suerte —repuso Hilaria despacio.

Permaneció contemplando a Betterton mientras éste iba hacia la puerta para abrirla. Al hacerlo dio un paso atrás y se detuvo. Tres hombres aparecieron bajo su dintel y dos de ellos se adelantaron hacia él. El primero habló en tono oficial:

—Tomás Betterton. Traigo una orden de arresto contra usted. Quedará aquí bajo custodia mientras se llevan a cabo los trámites de extradición.

Betterton volvióse rápidamente, pero uno de los tres hombres se había colocado ya a sus espaldas. Tom volvió de nuevo la cabeza con una carcajada.

—Todo esto me parece muy bien —replicó—. Sólo *que yo no soy Tomás Bertterton*.

El tercer hombre fue a colocarse al lado de los otros tres.

—Oh, sí, claro que lo es! —dijo— Usted es Tomás Betterton.

—Lo que quiere decir es que durante un mes ha estado viviendo conmigo oyéndome llamar y *decir que era* Tomás Betterton. Pero el caso es que *no soy* Tomás Betterton. Le encontré en París y vine en su lugar. Pregúntenlo a esta señora si no me creen. Vino a reunirse conmigo, pretendiendo ser mi esposa, y yo la reconocí como tal. Fue así, ¿no es cierto?

Hilaria asintió con la cabeza.

—Eso fue —continuó Betterton—, porque no siendo Tomás Betterton, naturalmente, ignoraba cómo era su mujer. Yo pensé que *era* la esposa de Tomás Betterton. Después tuve que intentar alguna explicación que le satisficiera, pero ésa es la verdad.

—De modo *que por eso* simuló reconocerme —exclamó Hilaria—. ¡Y me pidió que siguiera fingiendo!...

Betterton volvió a reír, esta vez con más confianza.

—No soy Betterton. Miren cualquier fotografía de Betterton y verán como les digo la verdad.

Peters se adelantó, y dijo con voz completamente distinta a la que Hilaria le conocía:

—He visto fotografías de Betterton, y estoy de acuerdo con usted en que no le hubieran conocido como tal. Pero no obstante es usted Tomás Betterton, y voy a probarlo.

Y asiendo bruscamente a Betterton, le quitó la chaqueta.

—Si es usted Tomás Betterton —le dijo— tiene una cicatriz en forma de zeta en el codo izquierdo.

Mientras hablaba le subió la manga de la camisa para descubrirle el brazo.

—Ahí está —dijo señalándola triunfalmente—. Hay dos ayudantes de laboratorio en los Estados Unidos que lo testificarán. Yo lo sé porque Elsa me escribió contándome cuando se la hizo.

—¿Elsa? —Betterton le miró extrañado comenzando a temblar—. ¿Elsa? ¿Qué tiene que ver Elsa?

—¿No se pregunta de qué cargo se le acusa? El cargo es: asesinato en primer grado. Usted asesinó a su esposa Elsa Betterton.

Capítulo XXII

L o siento, Olivia. Tiene que creerme, lo siento muchísimo. Quiero decir, por usted. Por usted le ofrecía una oportunidad. Ya le advertí que estaría más seguro quedándose en la Unión a pesar de que había recorrido medio mundo para encontrarle y hacer que recibiera su merecido por lo que le hizo a Elsa.

—No comprendo. No comprendo nada de todo esto. ¿Quién es usted?

—Creí que lo sabía. Soy Boris Andrey Pavlov Glydr, primo de Elsa. Desde Polonia fui enviado a América a una universidad para completar mi educación. Y tal como se pusieron las cosas en Europa mi tío creyó más conveniente para mí que adoptara la nacionalidad americana, y tomé el nombre de Andy Peters. Luego cuando vino la guerra, regresé a Europa y trabajé en la Resistencia. Saqué a mi tío y a Elsa de Polonia y los llevé a América. Elsa... Ya le he hablado de ella. Fue Elsa quien descubrió la fisión ZE. Betterton era un joven canadiense que ayudaba a Manheim en sus experimentos. Conocía su trabajo, pero nada más. Hizo el amor a Elsa y se casó con ella para asociarse a los trabajos científicos que estaba realizando. Cuando sus experimentos llegaron a su término y comprendió la gran cosa que iba a ser la fisión ZE, la envenenó deliberadamente.

—¡Oh, no, no!

—Sí. Entonces no se sospechó nada. Betterton parecía muy apenado, y se entregó con renovado ardor a su trabajo, y al poco tiempo anunció el descubrimiento de la fisión ZE como cosa suya, y que le trajo lo que él quería: fama y el que le consideraran un científico de primera. Luego consideró prudente dejar América y venir a Inglaterra. Marchó a Harwell y estuvo trabajando allí.

»Yo estuve en Europa algún tiempo después de que la guerra terminara. Puesto que conocía el alemán, el ruso y el polaco, podía ser muy útil allí. La carta que Elsa me había escrito antes de morir me inquietó. La enfermedad que sufría y de la que murió me parecía misteriosa e inesperada. Cuando al fin pudo regresar a los Estados Unidos comencé a hacer averiguaciones. No di con todo, pero encontré lo que buscaba. Es decir, lo bastante para solicitar una orden para la exhumación del cadáver. En la oficina del fiscal de distrito había un joven que había sido gran amigo de Betterton. Por aquel tiempo fue de viaje por Europa y se me ocurrió que fuera a ver a Betterton y durante su visita mencionara que el cadáver había sido exhumado. Betterton levantó el vuelo. Supongo que ya debía haber tratado con algún agente de nuestro amigo, el señor Arístides. De todas formas, vio que era su mejor oportunidad para evitar que le arrestaran y juzgaran por asesino. Aceptó las condiciones, con tal de que le cambiaran el rostro por completo, para no volver a ser reconocido. Y naturalmente, lo que ocurrió en realidad es que se encontró prisionero. Más aún, se encontró en una situación peligrosa, puesto que era incapaz de conseguir ningún resultado en su trabajo científico. Nunca fue un hombre genial.

—¿Y usted le siguió?

—Sí. Cuando en todos los periódicos fue publicada la desaparición sensacional del científico Tomás Betterton, me vine a Inglaterra. Un amigo mío, un científico bastante bueno, había recibido ciertas ofertas de una mujer, una tal señora Speeder, que trabajaba para la O.N.U. Al llegar a Inglaterra descubrí que había tenido una entrevista con Betterton. Me puse en contacto con ella, expresando ideas izquierdistas, y exagerando tal vez un poco mi habilidad como científico. Yo pensé que Betterton había ido al otro lado del Telón de Acero, donde nadie pudiera alcanzarlo. Bueno, ya que nadie podría alcanzarle, *yo* iría hasta él. —Sus labios formaron una sola línea apretada—. Elsa era un científico de primer orden, pero también una mujer hermosa y agradable, que había sido robada y asesinada por el hombre a quien amaba y le había entregado su confianza. De ser necesario, estaba dispuesto a matar a Betterton con mis propias manos.

—Ya —repuso Hilaria— ¡Oh! Ahora por fin lo comprendo todo.

Cuando fui a Inglaterra le escribí a usted —continuó Peters—. Le escribí, es decir, con mi nombre polaco, contándole todo. —La miró—. Supongo que no me creería, ya que nunca me contestó. Al principio me presenté fingiendo ser un oficial polaco: tieso, correcto y extranjero. Entonces sospechaba de todo el mundo. Sin embargo, al final Jessop y yo nos pusimos de acuerdo. —Hizo una pausa—. Esta mañana mi búsqueda ha terminado. Se aplicará la ley de extradición y Betterton irá a los Estados Unidos, donde será juzgado. Si sale absuelto, yo no tendré más que decir —y agregó tristemente—: Pero no le absolverán. La evidencia es demasiado fuerte.

Se detuvo mirando hacia el mar por encima de los jardines bañados por el sol.

—Lo malo de todo esto —dijo al fin— es que usted fue

a reunirse con él, yo la encontré y me enamoré perdidamente. He vivido en un infierno, Olivia. Créame. Y aquí estamos. Yo soy el responsable de haber enviado a su esposo a la silla eléctrica. No podemos olvidarlo. Es algo que nunca podrá usted olvidar aunque supiera perdonarme. —Se puso en pie—. Bueno, quería que lo supiera todo de mis propios labios. Y ahora... adiós.

Al ver que Hilaria le tendía una mano volvióse bruscamente para marcharse.

—Aguarde —le dijo—. Aguarde. Hay algo que no sabe. No soy la esposa de Betterton. La mujer de Betterton, Olivia Betterton, murió en Casablanca, y Jessop me convenció para que ocupara su lugar.

Él giró en redondo para mirarla a los ojos.

—¿No eres Olivia Betterton?

—No.

—¡Cielos! —exclamó Andy Peters—. ¡Cielo santo! —Se dejó caer pesadamente en una silla junto a ella— .Olivia —le dijo—. Olivia, cariño.

—No me llames Olivia. Me llamo Hilaria. Hilaria Craven. Ése es mi nombre.

—¿Hilaria? Tendré que acostumbrarme —tomó su mano entre las suyas.

En el otro extremo de la terraza, Jessop, que discutía con Leblanc algunas dificultades técnicas de la situación actual, le interrumpió en medio de una frase.

—¿Decía usted...? —le preguntó distraído.

—Le estaba diciendo, *mon cher*, que me parece que no vamos a poder proceder contra ese animal de Arístides. Lo veo difícil.

—No, no. Los Arístides siempre ganan. Lo que es igual a decir que siempre consiguen escabullirse. Pero ha perdido mucho tiempo, y eso no le agradará. E incluso Arístides no puede permitirse el lujo de evadirse de la muerte y yo diría por su aspecto que no puede tardar en tener que presentarse ante el Tribunal Supremo.

—¿Qué es lo que atraía su atención, amigo mío?

—Esa pareja —replicó Jessop—. Yo envié a Hilaria Craven de viaje hacia un destino desconocido, pero al parecer el final de dicho viaje ha sido el· más natural.

Leblanc le miró extrañado por unos momentos y al cabo exclamó:

—¡Ajá! Sí. ¡Su Shakespeare!

—Ustedes, los franceses, han leído tanto... —replicó el detective Jessop.

FIN